스킬스
SKILLS

스킬스 3

류화수 퓨전 판타지 소설

초판 1쇄 찍은 날 § 2015년 10월 16일
초판 1쇄 펴낸 날 § 2015년 10월 23일

지은이 § 류화수
펴낸이 § 서경석

편집책임 § 고승진

펴낸곳 § 도서출판 청어람
등록번호 § 제387-1999-000006호
등록일자 § 1999. 5. 31
어람번호 § 제1-2257호

주소 § 경기도 부천시 원미구 부일로 483번길 40 서경B/D 3F (우) 14640
전화 § 032-656-4452 팩스 § 032-656-4453
http://www.chungeoram.com
E-mail § chungeorambook@daum.net

ISBN 979-11-04-90459-2 04810
ISBN 979-11-04-90413-4 (세트)

류회수 퓨전 판타지 소설

FUSION FANTASTIC STORY

스킬스 3

SKILLS

SKILLS

CONTENTS

Chapter 1

각성 I

문신을 한 노인은 현자의 손을 두 손으로 꼭 잡고 눈빛으로 밀린 대화를 하고 있었다.

"이러지 말고 안으로 들어가서 얘기를 하는 게 어떻겠나?"

"어르신의 말이라면 들어야죠. 제가 왕궁에 들어갈 날이 올 줄은 꿈에도 생각지 못했는데, 이런 일이 생기네요."

마탑을 피해 수십 년을 살아왔던 노인이었다.

왕궁은 항상 마탑의 편이었고 수도 근처에 온 것도 오늘이 처음이었다.

2명의 노인이 밀린 대화를 하는 시간을 줘야 했기에 한 시간가량 기다렸다 회의실 안으로 들어갔다.

아직도 하지 못한 얘기가 많은지 회의실 문을 열고 들어온 사람들에게 인상을 찌푸리는 노인이었다.

"여기 이 사람은 아두브라네. 나도 이 사람의 이름을 들은 것은 오늘이 처음이네."

현자 덕분에 서로 통성명을 했다.

"그래, 나를 보자고 한 이유가 뭔가? 어르신을 뵙게 되어 좋긴 하지만 여기에 개처럼 끌려온 것은 잊지 않았네."

이래서 정중히 모셔 오라고 했는데.

하여튼 기사들은 책을 좀 읽을 필요성이 있었다.

"죄송합니다. 정중히 모셔 오라고 그렇게 말을 했는데 착오가 있었던 것 같습니다. 정말 죄송합니다."

몸을 반으로 접으며 사과를 했다.

아쉬운 사람이 을이 되는 것이 당연했다.

"사과는 그 정도면 충분하고, 나를 왜 부른 건가? 왕궁의 인물이 나를 부를 이유가 있나? 못살게 굴 때는 언제고."

회의실에 마법사들이 없는 것이 다행이었다.

마법사들이 있었다면 분위기는 지금보다 더 냉랭해졌을 게 분명했다.

"어르신을 모신 이유는 문신에 대해 궁금한 점이 있어서입니다. 어르신도 지금의 상황을 아시고 계실 거라고 생각합니다. 악마가 강림한 이후 세계는 혼란에 빠졌습니다. 마법사는 마나를 잃었고 기사는 오러를 잃었습니다. 아까 브로안과의 전투에서 문신에서 힘이 새어 나오는 것을 보았습니다. 현재 육체적으로 성장을 할 수 있는 방법은 어르신의 몸에 새겨진 문신밖에 없다고 보고 있습니다. 저희가 마땅치 않으시겠지만 악마와의 전쟁을 위해 문신의 비밀을 저희에게 알려주실 수 있겠습니까?"

한마디도 신중히 생각하며 말하자 아두브의 표정은 이전보다 밝아지긴 했다.

하지만 마음을 연 것은 아니었다.

"그래? 마법사들이 마나를 잃었다니 그거 참 속 시원하군. 그런데 내가 가지고 있는 비밀을 맨입으로 알려고 하는 것은 왕궁에 사는 높으신 분들이 할 말은 아니라고 생각되는데. 마을에서 빵 한 조각을 구하려고 해도 그에 합당한 가치를 가지고 있는 물건으로 교환해야 된다고 알고 있는데. 악마의 강림이 그런 기본적인 규칙까지 빼앗아 갔나 보지?"

"아닙니다. 당연히 그에 합당한 보상을 드릴 생각입니다. 원하시는 게 있으면 말씀만 하십시오. 최대한 들어드리겠습니다."

"이거 참. 원래 먼저 조건을 말하는 사람이 손해라는 것은 나도 알고 있다네. 높으신 분들이 자꾸 장난질을 치려고 하는 것 같네."

기사들이 정중히만 데리고 왔어도 이렇게 빈정이 상해 있지는 않았을 건데.

일단은 화를 풀어줄 방법을 생각해야 했다.

그리고 가장 먼저 떠오른 것은 간단하면서 효과적인 돈이었다.

"평생을 먹고살고도 남을 정도의 돈을 약속드리겠습니다. 수도에 거주할 수 있도록 마당이 딸린 집도 지어드리겠습니다. 그리고 어르신이 편하게 지낼 수 있도록 집사는 물론이고 시종들까지 우리가 지원을 해드리도록 하겠습니다."

"돈? 집? 물론 있으면 좋겠지만 나는 평생을 산에서 살아온 사람이야. 그런 거추장스러운 것을 좋아하지 않지."

돈을 더 달라고 하는 협상으로는 보이지 않았다.

정말 돈이 필요 없어 보이는 터라 그가 무엇을 원하는지 알 수가 없었다.

그래도 그의 마음을 돌려야 했다.

그는 평생을 육체를 단련해 온 사람이다. 아마 강함에 목말라 있을 테니 무기를 싫어할 리가 없을 것이다.

내가 가지고 있는 무기 중에 드래곤의 보관 상자에 들어 있는 무기를 제외하고 상급의 무기를 그에게 제시했다.

"바위도 조각낼 수 있는 검입니다. 기사들도 이런 검을 가지고 있지 못합니다. 이 검을 가지고 있으면 좀 더 쉽게 사냥을 하실 수 있으실 겁니다."

노인이 관심을 가지고 무기를 확인했다.

그래, 조금만 더. 거의 넘어왔어.

"좋은 검이군. 내가 한평생 살아오면서 이렇게 좋은 검은 처음 봤네. 하지만 나는 무기가 없어도 사냥을 하는 데 별문제가 없지. 이런 검은 집에 장식하는 용도로밖에 사용하지 못하겠네."

속이 터졌다.

돈도 싫다. 무기도 싫다.

결국 백기를 들었다.

"제가 부족해서 어르신이 무엇을 좋아하시는지 모르겠습니다. 죄송한 말씀이지만, 어르신께서 필요한 것을 저에게 말해주실 수 있으시겠습니까?"

"흠흠, 나는 그렇게 원하는 것이 없는데. 스승님께서 돌아가시기 전에 당부하신 말씀이 하나 있었지. 나보다 더 뛰어난 자질을 가지고 있는 제자를 구하라는 말이었지. 내가 능력이 부족해서 비전을 완벽히 소화하지 못했었거든."

"물론입니다. 저희가 바라는 것도 그것입니다. 원하시는 제자를 저희가 구해드리겠습니다. 그리고 비전이 더욱 발전할 수 있도록 최대한 지원을 해드리겠습니다. 아까 어르신과 대결했던 브로안은 어떻습니까? 튼튼한 몸을 가지고 있고 나름 재능도 뛰어난 청년입니다."

"청년? 딱 봐도 30은 넘어 보이는데 저놈이 무슨 청년이야. 나는 저런 제자는 필요 없다네."

"뭐라고 하셨습니까? 제가 30은 넘어 보인다고요? 이제 20이 넘은 지 몇 년 되지도 않은 사람한테 너무 심한 거 아닙니까!"

"브로안… 닥쳐."

입술을 움직이지 않고 브로안에게 말했다.

다 되어가는 밥에 재를 뿌리려는 브로안에게 좋은 말이 나가지 않았다.

"저것 봐, 저렇게 쉽게 흥분해서. 저런 놈을 제자로 받으면 밤에 제대로 잠도 못 잘 거야. 언제 뒤통수를 노리고 공격해 들어올지 모르는데 잠을 어떻게 자."

"그럼 제자를 구하실 수 있도록 기사들을 모으도록 하겠습니다. 기사들이 마음에 들지 않는다면 병사들도 모두 소집해 어르신이 고르실 수 있도록 도와드리겠습니다."

"그러면 다행이고. 그런데 비전을 익히기 위해서는 특별한 재능을 가지고 태어나야 하거든. 그 재능을 가지고 있는 사람이 있을지 모르겠네. 스승님도 나를 만나기 전에 10년이 넘게 떠돌아다녔다고 했거든."

"왕국의 기사들과 병사들은 재능이 있는 사람들입니다. 저를 믿고 한번 확인해 보십시오."

"그럼 한번 만나볼까?"

아두브의 입에서 허락의 말이 나왔고 나는 그가 말을 바꾸기 전에 빠르게 움직였다.

카인트 공작의 도움을 받아 왕실에 거주하고 있는 모든 기사를 소집했다.

정확한 소집 사유를 듣지 못하고 모인 기사들 중에는 아두브를 끌고 온 기사들도 포함되어 있었다.

"너희는 나를 개처럼 대했었지. 너희들을 내 제자로 데리고 다니면서 죽도록 고생을 시키고 싶은데 재능이 없네. 이거 참 아쉬워."

아두브의 입장에서는 아쉬웠겠지만 기사 입장에서는 믿지도 않는 신에게 기도를 할 정도로 다행인 일이었다.

"기사 중에서 재능이 있는 사람이 없어. 이거 참, 왕국을 지키는 기사들이 이렇게 재질이 없어서야."

그가 말하는 재질이 무엇인지 알지 못한다.

그 재질이 무엇인지 알기 위해서는 일단 그에게 제자를 붙여줘야 했고, 그 이후에 비밀을 알아내고 연구를 해야 했다.

그랬기에 왕국에 있는 병사들도 소집했다.

원하지 않게 제자 면접을 받게 된 병사들은 불안감과 기대감을 안고 면접을 봤다.

아두브가 얼마나 강한지에 대해 브로안과의 대결을 본 병사들의 입을 통해 빠르게 병사들 사이에 퍼져 나갔고, 그 힘을 가지게 된다는 기대를 하는 병사들이었다.

모든 병사를 확인하는 데 이틀이 걸렸다.

아두브는 식사 시간을 제외한 시간을 제자를 찾기 위해 투자했지만 원하는 제자를 구할 수 없었다.

혹시나 하는 마음에 카인트 공작과 아드몬드, 그리고 브로안까지 확인했지만 그들에게서도 재능을 발견하지 못했다.

이제 남아 있는 사람은 없었다.

하지만 이대로 그를 보낼 수는 없다.

드래곤의 보관 상자에 있는 무기 정도면 비밀을 공유할 수 있지 않을까?

한번 찔러봐야겠어.

나는 브로안이 착용하고 있는 방어구 하나를 뜯어내 아두브에게 다가갔다.

"제자를 찾지 못한 점은 매우 유감스럽게 생각하고 있습니다. 하지만 악마를 상대하기 위해서 어르신의 능력이 꼭 필요합니다.

이 방어구를 가지시고 알려주실 수……."

말을 더 이어갈 수 없었다. 아두브가 벌떡 일어나 손을 잡았기 때문이다.

"있구나, 여기 있었어. 역시 보물은 가까운 곳에 있는 법이지."

"무슨 말씀이신지?"

"네가 재능이 있다는 말이다. 네가 말했지? 누구든지 재능만 있으면 내 제자가 되게 해준다고. 설마 네가 한 말을 뒤엎지는 않겠지?"

"제가 재능이 있다는 말씀이십니까?"

"그래! 말하는 것도 유들유들하고 제자로 들이기 딱이구나. 이제 나를 스승님이라고 부르거라."

어떻게 반응해야 하는지 감이 오지 않았다.

주변을 둘러봤다.

현자는 작게 박수를 치고 있었고 브로안은 고개를 저으며 나를 불쌍히 보고 있었으며, 카인트 공작은 이미 수련장을 향해 걸어가고 있었다.

좋게 생각하자.

아두브의 비밀을 알기 위해서는 그의 제자가 되는 게 가장 좋다.

아두브를 스승으로 삼기로 결정했다.

"스승님, 인사 받으세요."

고개를 숙여 예를 보였지만 아두브는 내 정성이 담긴 인사를 받지도 않은 채 급히 내 손을 잡아끌고 수련장으로 이동했다.

*　　　*　　　*

"일단 육체를 만들어야겠다. 너는 뭐 하는 놈이길래 몸이 빵부스러기처럼 물렁물렁하냐."

이계의 빵은 돌멩이처럼 딱딱했기에 그의 말에 어폐가 있다고 말하고 싶었지만 괜히 그를 긁을 이유는 없었기에 입을 굳게 다물었다.

"일단 기본 수련부터 하자."

기본 수련은 바잔트 영지에서 카인트 공작에게 받았던 수련과 동일했다.

체력을 키우기 위해 육체를 괴롭히는 고문을 다시 받게 되었다.

하지만 그렇게 걱정이 되지는 않았다.

여전히 브로안과 나누어 낀 반지 덕분에 최진기가 느끼는 고통은 고스란히 브로안의 몫이었다.

브로안은 이미 고통에 면역이 되어 있는지 크게 달라 보이지 않았다.

다행이네. 브로안이 고통스러워했다면 약간이지만 죄책감을 가졌을 것이다.

육체를 수련한 지 일주일이 지났고, 드디어 스승님은 문신의 비밀에 대해 털어놓았다.

"너희가 문신이라고 얘기하는 이 문양은 고대부터 전해지는 육체 강화술이다. 마법보다 역사가 더 깊은 기술이라 이거지. 못돼 처먹은 마법사들이 우리를 이단으로 몰았지만, 사실 이단은 우리가 아니라 마법사들이지. 자연스럽게 흐르는 자연의 마나를 강제로 이동시키는 것이 이단이지."

"맞습니다. 마법사들이 이단입니다."

임금이 없는 곳에서는 임금 욕도 하는 법이다.

수련장에는 마법사들이 없었고 스승님의 말에 맞장구를 쳐주었다.

"역시 제자 하나는 잘 뒀다니까. 이렇게 예쁜 말만 하고. 하여튼 육체 강화술은 역사가 매우 깊어. 하지만 깊은 역사에 비해 사용하는 이는 매우 드물지. 왜냐하면 육체 강화술은 특별한 육체를 가지고 있는 사람만이 할 수 있거든. 육체 강화술의 기본은 내가 한 것처럼 문신을 그리는 것부터 시작하지. 하지만 재능에 따라 다른 방법도 있지. 나처럼 몸에 문신을 한 사람은 가장 떨어지는 재능을 가지고 있다고 해서 세컨드라고 부르지. 하지만 너는 퍼스트의 재능을 가지고 있는 것 같아."

"퍼스트의 재능을 가지고 있는 사람은 어떻게 다릅니까?"

"퍼스트의 재능은 일단 외관적으로 몸에 문신이 보이지 않게 되지. 나처럼 흉하게 하고 다닐 필요가 없다는 말이지. 그리고 같은 강화술을 펼친다고 하더라도 더 큰 능력을 발휘할 수 있게 되지. 이렇게 백번 말로 해도 알아듣지 못할 거다."

드디어 비전이 내 몸에 그려지게 되나 보다.

스승은 펜촉같이 생긴 바늘과 끈적한 붉은 액체를 가지고 왔다.

"조금 아플 거다. 하지만 몸을 움직이면 제대로 그릴 수가 없으니까 아파도 참아라."

고통은 걱정되지 않았다.

단지 브로안에게 미안한 감정만이 생길 뿐이었다.

'미안해, 브로안. 조금만 참아주라.'

"으아아아아!"

브로안의 비명 소리가 들려왔다.

아니, 얼마나 아프면 고통에 둔감한 브로안이 비명을 다 지르는 거야?

"역시 내 제자는 정신력도 뛰어나구나. 나는 아직도 처음 문신을 새길 때의 장면을 악몽으로 꾸곤 하는데. 역시 퍼스트의 재능을 가지고 있는 사람은 다르구나."

퍼스트 재능을 가진 사람이라 다른 것이 아니라 지금 내가 느낄 고통을 브로안이 대신 느끼고 있는 것이다. 하지만 차마 이 말을 해줄 수는 없었다.

"이제 다 끝나간단다. 조금만 더 참거라."

나는 괜찮았다. 문제는 브로안이지.

"으아아아!"

"저 곰 같은 놈은 왜 자꾸 비명을 지르고 지랄이야. 집중하기 힘들게."

고통은 전혀 느껴지지 않았고 당연히 바늘에 대한 두려움은 없었다.

그랬기에 내 몸에 문신을 새기는 장면을 제3자의 입장에서 지켜볼 수 있었다.

전혀 본 적이 없는 문양들이 새겨지고 있었는데 그것이 어떤 능력을 가지고 있는지 궁금했다.

"스승님, 이 문신을 새기면 어떤 능력을 가지게 됩니까?"

"좋은 질문이구나. 하지만 작업이 끝나고 대답을 해주마. 내 능력이 부족해 말을 하면서 작업을 할 수가 없구나. 조금만 기다리거라."

조금만 기다리라는 말은 절대 믿어서는 안 된다.

등산을 갈 때도 정상에 다 와간다는 말은 거짓말일 확률이 높았고, 중국집에 주문한 자장면이 곧 도착한다는 사장의 말도 거짓말이었다.

반나절이 넘게 꼼짝없이 누워 몸에 문신을 새겼다.

패션으로라도 문신을 하고 싶다는 생각은 한 번도 해본 적이 없었지만 의도치 않게 온몸에 문신을 두르게 되었다.

"이제 끝이 났구나. 이 문신이 어떤 능력을 가지고 있는지 설명해 주마. 각 문양마다 다른 능력을 가지고 있단다. 네 손에 각인한 문양은 근력을 올려주는 능력을 가지고 있고, 다리에 있는 문양은 더 빨리 움직이도록 도와준단다. 그리고 몸에 새겨진 문양은 육체의 방어력을 크게 높여주는 역할을 하지. 그리고 목 뒤의 문양은 생명을 유지하는 데 도움을 주는 것이란다. 그리고 심장에 새겨진 문양이 가장 중요한 문양이란다. 문신의 능력을 발휘하기 위한 중심이 되는 문양이지."

"문신을 새기기만 하면 바로 능력을 발휘할 수 있는 겁니까?"

문신만 새기면 여러 가지 능력을 가질 수 있다는 말이 믿기지 않았다.

모든 능력은 합당한 대가를 치러야 가질 수 있는 것이다.

육체를 강화하기 위해서는 그에 합당한 땀을 흘려야 했고, 지능을 높이기 위해서는 많은 책을 읽어야 했다.

하지만 문신을 새긴 것만으로 강해질 수 있다니.

"문신을 새긴다고 해서 바로 능력을 개방할 수 있는 것은 아니란다. 그 전에 심장에 새긴 문양에 대한 설명을 더 자세하게 해줘야겠구나. 심장에 새긴 문양이야말로 비전 중의 비전이지. 육체와 문양을 연결해 주는 장치라고 생각하면 편하겠구나. 지금 가슴에 있는 문양의 색깔을 확인해 보거라."

붉은 액체로 문신을 했으니 당연히 붉은색이었다.

"붉은색입니다."

"그렇지. 붉은색은 가장 기본적인 색이란다. 아직 문양이 네 육체와 연결이 되지 않았다는 뜻이란다. 재능이 없는 사람은 이런 문양을 했다 하더라도 평생 붉은색을 가지고 있게 되지. 하지만 너는 퍼스트의 재능을 가지고 있으니 조만간 가슴의 문양이 하얀색으로 바뀌게 될 것이다."

"제가 가지고 있는 재능이 무엇인지 알고 싶습니다. 제가 다른 사람들과 어떤 점이 다른 것입니까?"

"이 문양을 받아들이는 몸은 따로 정해져 있다. 가슴에 붉은 고리가 달려 있는 사람만이 문양의 능력을 활성화시킬 수 있지.

네 가슴에 있는 문양이 하얀색으로 바뀌게 되면 내가 한 말이 무슨 뜻인지 알 수 있을 것이야."

문신을 새긴 고통은 브로안이 온전히 전부 감당했기에 나는 아무런 고통도 느끼지 못했다.

그랬기에 온몸에 힘이 풀려 있다는 사실조차 알지 못했었다.

내가 몸을 일으켜 세우려 하자 내 몸은 머리가 내리는 명령을 거부하고 자꾸만 넘어지려고 했다.

문신은 정확히 하루가 지나자 색이 바뀌었다.

스승이 말한 그대로였다. 붉은빛의 문신은 하얗게 변했고 나는 가슴 언저리에 고리가 생긴 것을 느낄 수 있었다.

이게 육체 강화술의 비전이란 말이지.

육체의 고리는 오러나 마나와는 다른 의미의 에너지 같은데.

왜 이 힘은 사라지지 않았을까?

악마들은 세계를 지탱하는 모든 힘을 없애 버렸는데 육체 강화술은 그 힘을 유지할 수 있는 이유가 있을 텐데.

고리는 문신을 작동시키는 파워 버튼이며 엔진이었다.

고리에서 나오는 에너지가 문신으로 흘러 들어가며 능력이 개방되었다.

그러나 나는 아직은 문신의 제대로 된 사용법을 알지 못했다.

몸이 정상으로 돌아오는 날부터 문신 개방 수업이 시작될 것이었다.

*　　*　　*

몸은 생각보다 빠르게 회복되었다.

몸에 새겨진 문신이 몸의 회복력을 올려주었다고 했다.

"몸에 새긴 문신은 다른 문신들과는 다르게 스스로 움직이지. 물론 고리를 이용해 더욱 개방할 수도 있지."

몸에 새긴 문신은 가슴의 고리와 직접 연결이 되어 있었다.

그랬기에 따로 개방법을 배우지 않아도 몸의 회복이 빨라지는 것이었다.

"먼저 가장 기본적인 육체 강화술부터 알려주마. 팔에 고리의 기운을 밀어 넣어보거라."

고리의 에너지를 팔로 보내는 것은 어렵지 않았다.

고리는 매우 말을 잘 듣는 아이였다. 생각한 대로 에너지를 빠르게 내보내 주었다.

고리에서 흘러나온 에너지가 팔에 흘러 들어가자 붉은 문신이 빛났다.

"그게 가장 기본이다. 팔의 문양에 빛이 생기면 개방이 가능하다는 뜻이다. 그 상태에서 문양을 완전히 개방시키기 위해서는 팔에 의지를 담아야 한다. 팔의 힘은 정신적으로 제약당하고 있다. 너는 느끼지 못하겠지만 네 무의식이 몸의 능력을 억제하고 있단다."

정신이 몸을 지배하고 있고, 능력을 억제한다는 말은 들어본 적이 있다.

차에 깔린 아이를 구하기 위해 어머니가 괴력을 발휘해 차를 들어 올렸다는 사례를 여러 번 접해 봤었다.

육체가 정신의 지배를 벗어나기 위해서는 극한의 상황이 필요하다는 말이었다.

한계를 푸는 것은 마음만 먹는다고 해서 쉽게 되는 일이 아니었다.

좋은 방법을 스승님이 가지고 있겠지.

"어떤 방법으로 몸을 정신의 지배에서 벗어나게 할 수 있습니까? 비전이 따로 있습니까?"

"당연히 비전이 있지. 나도 그렇고 나의 스승님도 이 방법으로 빠르게 한계를 뛰어넘었지."

방법이 궁금했지만 왠지 모르게 불안감이 엄습해 왔다.

브로안마저 고통에 찬 비명을 지르게 하는 문신을 새긴 스승이었다. 분명 쉬운 방법은 아닐 것이다.

"따라 나오거라. 여기서는 수련을 하기에 적합하지 않구나."

스승을 따라 수련장으로 이동했다.

수련장에는 카인트 공작과 브로안이 자신들만의 수련에 빠져 있었다.

"좋을 때군. 역시 강한 사람들은 그만한 이유가 있지. 자, 우리도 수련에 한번 빠져 보자꾸나."

"이미 준비를 마쳤습니다."

"좋은 마음가짐이구나. 자, 그럼 바로 수련을 시작하겠다. 이 천으로 눈을 가리거라."

눈가리개?

눈은 사물을 판단하는 가장 중요한 신체 기관이다. 나는 눈을 가려 다른 감각을 끌어 올리는 수련을 시키려나 보다 하며 순순히 눈을 가렸다.

"하늘에서 돌이 떨어질 거다. 정확히 네 머리 위로 떨어질 것이다. 언제 떨어질지는 나도 모른다."

하늘에서 돌이 떨어진다니. 이게 무슨 수련이란 말인가.

퍽!

"아아아아!"

고통은 느껴지지 않았지만 묵직한 돌이 내 머리를 때리는 느낌이 들어 비명을 질렀다.

"아아아!"

그리고 브로안도 소리를 질렀다.

브로안에게 미안한 마음이 들긴 했지만 머리에서 흘러나오는 피는 내 것이었다.

고통이 느껴지지 않는다고 해도 돌이 머리를 강타하면 어지러워진다.

"정말 이 수련이 도움이 됩니까?"

고문으로나 사용할 법한 방법이다.

"나도 이 방법으로 팔의 문양을 개방시켰다. 정신의 지배를 벗어나기 위한 가장 좋은 방법이지. 나를 믿고 해보거라."

스승이 이 방법을 통해 성공했다고 했기에 반나절 동안 계속해서 머리로 돌을 받았다.

하지만 도통 나아지지 않았다.

눈이 핑 돌 정도로 많은 피를 흘리고 나서야 수련이 끝이 났다.

팔의 문양을 개방시키는 것은 실패였다.

내가 침대에 누워 안정을 취하고 있을 때 스승이 찾아왔다.

"생각보다 느리구나. 퍼스트의 재능을 가지고 있는 너라면 하루 만에 성공할 수 있을 거라고 생각했건만. 고통은 육체의 한계를 뛰어넘게 하는 가장 좋은 방법인데. 너는 고통에 면역이 되어 있는 것 같구나."

수련이 실패한 이유를 알아내었다. 고통을 느끼지 못하기 때문이었다.

수련을 위해서 브로안에게 준 반지를 회수해야 했다.

스승이 방을 떠나고 얼마 지나지 않아 브로안이 찾아왔다.

"브로안, 내가 너한테 준 반지를 줘볼래?"

"왜 그러십니까? 저 이 반지 마음에 드는데요."

은근히 액세서리류를 좋아하는 브로안이었다.

그는 이 반지가 자신에게 고통을 준다는 사실을 몰랐기에 반지를 빼앗기는 것을 아쉬워했다.

나도 너한테 반지를 뺏고 싶은 마음은 없는데, 이대로 수련을 계속하다가는 죽을 것 같거든.

*　　　　*　　　　*

몸에 새긴 문양 덕분인지 육체는 빠르게 회복되었고, 다음 날도 똑같은 수련을 했다.

브로안에게 반지를 회수했기 때문에 고통은 순전히 내가 느껴야 했다.

퍽!

"으아아아아!"

고통에 찬 비명을 오랜만에 질렀다.

발끝까지 짜릿해지는 고통이 찾아오자 숨을 제대로 쉴 수도 없었다.

이런 고통을 브로안이 느끼고 있었다니. 독한 놈.

나무 위에 매달려 있는 돌이 두려웠다.

다시 고통을 느끼고 싶지 않았다.

그래서 온 신경을 돌에 집중했다.

픽!

돌이 떨어지기 전에 끈이 풀리는 소리가 들렸다.

절대 머리에 돌이 떨어지게 해서는 안 된다.

고통은 더는 사양이었다.

그 순간 팔이 저절로 움직였다.

이게 문양의 개방이구나.

내 것이 아닌 것처럼 움직이는 팔은 빠르게 머리로 움직였고 돌을 쳐 내었다.

팔이 울릴 정도로 짜릿한 감각이 느껴졌지만 그래도 돌이 머리를 강타하는 고통보다는 백배 나았다.

"드디어 성공했구나. 처음이 어렵지, 두 번째는 몸이 감각을 기억하기에 어렵지 않을 것이다."

처음 팔의 문양을 개방하는 것에 성공한 이후 반나절을 더 돌의 공포를 느낀 후에야 내 의지로 팔의 문양을 개방시킬 수 있었다.

그 이후 며칠 동안 고문과 비슷한 수련을 받으며 문양을 개방시키는 것에 익숙해졌다.

정말 이게 수련인지 의심스러울 정도의 수련이 계속되어 내 정신은 피폐해졌다.

이런 시점에 카인트 공작이 한 말은 나에게 있어 구원이었다.

"이제 악마의 탑 4층에 다시 도전해도 좋을 것 같네. 무기도 한층 더 좋아졌고, 육체의 능력도 더욱 강해졌으니 실험을 해봐야겠네. 진, 자네도 육체 강화술의 능력을 확인해야 하지 않겠는가."

지옥 같은 수련을 벗어날 수만 있다면 악마의 탑에 며칠이고 갈 수 있다.

"감사합니다."

나도 모르게 카인트 공작에게 감사의 인사를 했다.

악마의 탑에 들어가기 위한 준비를 하기 위해 하루의 시간이 필요했다.

브로안이 말했던 것처럼 소 한 마리를 통째로 보관 상자 안에 집어넣었고, 아크타르 폭탄도 대량으로 준비했다. 그리고 만약을 대비해 맹독도 준비했다.

준비가 끝나자 우리는 곧장 데빌 도어를 통해 악마의 탑에 입장했다.

악마의 탑 1층을 걱정하는 사람은 아무도 없었다.

이미 여러 번의 경험도 있었고 악마의 탑 1층에 서식하는 몬스터의 힘은 약했다.

"진, 이번엔 자네가 선두에 서보게나. 육체 강화술의 능력을 나도 확인해 보고 싶구나."

"알겠습니다."

선봉에 서 있던 브로안이 뒤로 물러났고, 그 자리를 내가 차지했다.

이번 상대는 쥐새끼들이었다.

쥐새끼한테 당하면 부끄러운 일이지.

고리를 개방했다.

고리의 에너지는 빠르게 팔과 다리로 퍼져 나갔다.

쥐새끼들은 강아지 정도의 크기를 하고 있었는데 수십 마리가 무리를 지어 다녔다.

쥐새끼 학살자라는 호칭이 생기는 것 아냐?

이런 생각을 할 정도로 나는 몬스터를 학살했다.

팔의 문양이 빛날 때마다 손에 들린 검은 빠르게 쥐를 도륙했고, 어렵지 않게 사냥을 마칠 수 있었다.

내가 이렇게 독했던가?

아무리 몬스터라고는 하지만 살아 있는 생명체를 죽이는 데에 대한 거부감이 전혀 들지 않았다.

이건 전부 고문 같은 수련을 견뎠기 때문이야!

스승이 내 성격을 다 버려놓는구나.

탑의 2층도 내가 선두에 서서 몬스터들을 상대하며 전진했고, 우리는 3층에 진입할 수 있었다.

3층부터는 다시 브로안이 선두에 서 몬스터들을 상대해 우리는 이전보다 빠른 시간에 4층에 도착할 수 있었다.

4층은 이전과 다른 모습이었다.

다른 환경은 새로운 몬스터가 나온다는 뜻이었다.

물론 1층부터 3층까지 모두 다른 환경이었지만 그때 느끼는 감정과는 전혀 달랐다.

"4층의 일반 몬스터는 분마인 것 같습니다. 분마는 검과 같은 두 팔을 이용해 공격하는 몬스터라고 합니다. 저들의 약점은 겨드랑이 부분입니다."

몬스터 도감을 읽을 때 분마의 약점이 겨드랑이라는 것을 이상하게 생각했었다.

하지만 지금 저들을 실제로 보니 겨드랑이가 약점인 이유를 알 수 있었다.

온몸을 철갑 같은 비늘로 보호하고 있었는데, 유일하게 흰 살점을 보이는 부분이 겨드랑이였다.

"수는 많아 보이지 않는군."

분마는 무리를 지어 다니지 않았다. 많게는 세 마리에서 홀로 움직이는 놈도 있었다.

"일단 얼마나 강한지 확인을 해야겠군. 브로안, 한 마리만 데리고 와라.”

가장 외곽에 떨어져 있는 분마를 노리고 브로안이 다가갔다.

브로안의 도발 능력은 날이 갈수록 발전했다.

한 마리는 물론이고 광역 도발도 가능했다.

“어이, 거기. 너희는 손이 없어서 밥은 어떻게 먹냐? 아! 미안, 장애는 놀리는 게 아니라고 현자님한테 배웠는데. 나도 모르게 너희 장애를 들먹였네. 미안해!”

전혀 미안해하지 않는 표정으로 말하는 브로안의 말에 반응하는 분마였다.

몬스터는 언어를 알아듣지 못할 텐데 브로안의 말 어디에 반응하는지 미친 듯이 브로안에게 달려들었다.

“온다. 준비해라. 아드몬드, 너는 우측을 맡아라. 나는 좌측을 맡겠다. 그리고 진, 너는 주변을 살펴라.”

나는 육체 강화술을 배웠다고는 하지만 아직은 제대로 활용하지 못했고, 전투 경험도 전무하다시피 했기에 크게 전력에 도움이 되지는 않았다.

분마를 끌고 우리에게 다가온 브로안은 카인트 공작의 명령에 따라 멈춰 섰다.

쾅! 쾅!

분마는 강하게 브로안의 방패를 두드렸다.

날카로운 분마의 팔에는 큰 힘이 실려 있었는지 브로안은 자세를 유지하기 위해 온 힘을 쏟고 있었다.

분마의 팔이 움직일 때마다 브로안의 발은 땅속으로 들어가고 있었다.

브로안이 땅을 파며 분마의 공격을 막고 있을 때 아드몬드가 움직였다.

불의 검을 가지게 된 그의 공격은 자신감이 넘쳤다.

작은 상처만 만들어내도 충분히 큰 타격을 줄 수 있는 불의 검이었기에 치명상을 입히기 위해 무리하게 움직이지는 않았다.

작은 상처면 족하다.

하지만 분마의 몸은 비늘로 뒤덮여 있었고 상처를 낼 수 있는 곳은 겨드랑이뿐이었다.

자신의 검을 믿는지 아드몬드는 분마의 몸에 검을 찔러봤지만 작은 흠집도 내지 못했다.

기사들이 입고 있는 갑옷보다 더 강한 방어력을 가지고 있는 비늘 갑옷이었다.

이번 전투가 끝나면 분마의 비늘로 방어구를 제작해야겠다는 생각이 먼저 들었다.

공작님은 어디에 계시지?

카인트 공작은 은신의 망토를 착용하고 있었기에 모습을 확인할 수가 없었다.

챙!

허공에서 금속음이 들려왔다.

공격을 할 때만 잠깐씩 모습을 드러내는 카이트 공작 때문에 분마의 팔이 어지러워지기 시작했다.

보이지 않는 곳에서 공격을 들어오는 공작에 의해 당황하고 있는 것이었다.

카인트 공작과 아드몬드가 분마를 공격하기 시작하자 브로안은 한결 편해져 방어에만 사용하던 방패를 공격 용도로 사용하기 시작했다.

“손가락 없는 병신아, 이제 내 차례다!”

브로안은 방패를 횡으로 휘둘렀다.

몸을 던지다시피 하는 공격이었다. 방어에 자신 있는 브로안이었기에 할 수 있는 공격이었다. 체중이 제대로 실린 브로안의 공격은 분마의 비늘을 부수지는 못했지만 분마의 중심을 뺏을 수는 있었다.

그대로 쓰러진 분마는 황급히 몸을 일으키기 위해 땅을 짚었다.

급하게 움직인 것이 실수였다.

분마의 약점인 겨드랑이가 노출되었고, 카인트 공작은 그 틈을 놓치지 않았다.

푹!

공작의 검이 분마의 겨드랑이에 박혔고 분마의 팔은 떨어져 나갔다.

잘린 부분에서는 끝없이 피가 흘러나왔다.

남은 한 팔로 끝까지 반항을 하는 분마였지만, 3인의 공격을 막아내기에는 역부족이었다.

전투가 끝난 후 간단한 회의를 했다.

“우리가 강해진 것도 있지만 분마는 촉수 괴물인 파마크보다 한결 상대하기가 쉬운 것 같습니다."

"나도 그렇게 생각한다. 일단 공격도 단조롭고 약점도 분명히 존재하는 몬스터다. 두세 마리도 충분히 상대할 수 있을 것 같다."

한 번에 여러 마리를 상대할 수 있을 것 같다는 공작의 말이 있었지만 우리는 가급적 분마를 한 마리씩 유인해 상대했다.

최대한 체력을 아낄 필요가 있었다.

아직 레드 식스와 영혼의 고리를 착용하고 있지는 않았지만 보스급 몬스터가 얼마나 강한지 알지 못하는 상태였다.

최대한 체력을 비축하며 몸을 사려야 했다.

완벽한 상태에서도 이길 수 있다고 확신하기 어려운 상대일 게 분명했다.

한 마리씩 상대를 했기 때문에 반나절이 지나서야 일반 몬스터 사냥을 끝낼 수 있었다.

"이제 보스 몬스터네요. 저번 상대보다 약한 놈이 나왔으면 좋겠는데."

보스급 몬스터가 약할 리가 없었다.

데빌 도어를 지키고 서 있는 보스 몬스터는 변형된 분마의 모습을 하고 있었다.

몸을 가리고 있는 비늘과 검의 형태를 하고 있는 팔까지 분마와 흡사하긴 했지만 거대한 몸과 옆구리에 더 나 있는 두 개의 팔이 달랐다.

"저건 완전히 괴물인데요. 팔이 네 개라니. 쉽지 않겠어요."

"충분히 상대할 수 있다. 저 몬스터의 약점도 겨드랑이일 것이다. 빠르게 처리한다."

카인트 공작은 망토를 덮어써 모습을 감추었다.

공작의 모습이 사라진 것이 신호였다.

브로안은 방패를 다시 쥐었고 아드몬드는 불의 검을 들고 좌측으로 빠졌다.

세 방향을 공격하는 패턴에 익숙해진 그들이었다.

이제 브로안이 몬스터를 도발할 차례였다.

"어이! 팔이 많아 슬픈 몬스터! 아니, 팔이 많아서 좋으려나? 나는 팔이 두 개뿐인데 하나 정도는 줄 수도 있잖아? 서로 돕고 살자고!"

브로안의 도발은 이번에도 성공이었다.

브로안의 목소리에 정말 도발 능력이 있는 건지 보스 몬스터마저도 광분하며 브로안에게 달려들었다.

"오! 장난 아닌데? 확실히 팔이 두 개 더 달려 있으니 힘도 장난이 아닌데?"

아직은 말할 여유가 있는 브로안이었지만, 몬스터가 본격적으로 공격해 들어가기 시작하자 입을 굳게 다물었다.

정신을 집중해도 막아낼 수 있을지 모르는 공격이었다.

브로안의 발이 빠르게 땅속에 박혀 들어가기 시작했다.

아무리 단단한 방패를 가지고 있다고 하더라도 일방적으로 방어만 한다면 얼마 견디지 못한다.

브로안이 안간힘을 쓰고 있는 동안 아드몬드는 몬스터의 이목을 피해 접근하는 데 성공했고, 불의 검을 보스 몬스터의 팔 안쪽으로 찔러 넣었다.

지금 이 순간을 위해 하루도 쉬지 않고 육체 수련을 했던 아드몬드였다.

그의 검은 한층 더 빠르게 움직였다.

하지만 부족했다.

브로안을 공격하면서 아드몬드의 검까지 막아내는 몬스터였다.

이제는 레드 식스와 영혼의 고리를 사용해야 할 시간이었다.

내가 할 수 있는 일은 두 가지 아이템을 작동시키는 것 정도였다.

한순간에 능력치가 상승되자 브로안의 방패는 더욱 굳건해졌고, 아드몬드의 검은 더욱 빨라졌다.

밀어붙이고 있지는 않았지만 그래도 대등한 공방이 이루어졌다.

카인트 공작은 여전히 모습을 감추고 있었다.

완벽한 틈을 찾고 있는 것이었다.

푹!

보스 몬스터가 옆에서 귀찮게 하는 아드몬드에게 몸을 틀려고 하는 순간 카인트 공작의 검이 몬스터의 옆구리를 찌르는 데 성공했고, 팔 하나가 잘려 나갔다.

"끄으윽!"

가래 끓는 소리였지만 지금처럼 듣기 좋은 적은 없었다.

몬스터가 비명을 지르는 것은 부상을 입었다는 뜻이었다.

카인트 공작과 아드몬드는 계속해서 몬스터의 약점을 노리고 검을 찔러 들어갔다.

브로안도 이제는 땅에 박힌 발을 빼내어 몬스터를 압박했다.

이제 4층의 공략이 얼마 남지 않았다고 생각되는 순간…

몬스터는 몸을 회전시켰다.

팽이처럼 돌며 거리를 벌린 몬스터는 뜻밖의 방향으로 움직였다.

멀리서 구경만 하고 있던 나에게 달려오고 있는 것이었다.

속도가 워낙 빨라 다른 사람은 몬스터의 공격을 막아주지 못한다.

내가 막아내야 했다.

팔과 다리의 문양을 활성화시켰다.

화장실의 전구처럼 약한 빛을 내는 문양이었지만 그래도 강해진 힘이 느껴졌다.

세 팔을 벌려 나에게 달려드는 몬스터에게서 벗어나는 방법은 없어 보였다.

다리의 문양을 활성화시켰다고는 하지만 여전히 몬스터의 속도가 더 빨랐다.

도망칠 수 없다면 공격해 들어가야지.

악마의 탑 1층과 2층에 있는 몬스터들을 사냥했다고는 하지만 여전히 몬스터에 대한 두려움은 사라지지 않았다.

몬스터에게 공격해 들어가겠다고 마음먹은 내가 신기할 따름이었다.

나는 다리에 있는 문양에 고리의 기운을 왕창 쏟아부었다.

아직 고리의 에너지를 정밀하게 조종하는 법을 익히지 못했기에 최대한의 에너지를 다리에 새겨진 문양에 투입했다.

바르게 달려오는 몬스터의 오른쪽 옆구리에 달린 팔이 목표였다.

가만히 구경만 하던 내가 자신에게 달려들 거라고는 생각하지 못했던지 몬스터는 약점을 적나라하게 노출시키고 있었다.

노출된 겨드랑이에 검을 찔러 넣었다.

물집이 잔뜩 잡혀 있는 겨드랑이는 보는 사람에게 불쾌감을 주기 충분했다.

제대로 씻지 않으니 저런 물집이 생기는 거다.

너를 대신해 물집을 터뜨려 주마.

급박한 상황이 되니 머리가 자꾸만 이상한 방향으로 굴러갔다.

겨드랑이 중심에 있는 물집에 자꾸만 눈이 갔고, 물집을 찔러야 된다는 생각이 머리를 지배했다.

팔에 있는 문양이 더욱 빛을 내고 있었다.

팔을 제어하고 있는 한계가 한 꺼풀 벗겨진 것이었다.

푹!

정확하게 물집을 찔렀다.

고름 대신 몬스터의 피가 흘러나왔지만 만족스러웠다.

더는 더러운 물집을 보지 않아도 되었기에.

퍽!

"으아아!"

몬스터의 다른 쪽 팔이 나를 덮쳤다.

등에서 느껴지는 극심한 통증에 아랫배에서부터 뿜어져 나오는 비명을 질렀다.

"진!"

카인트 공작과 아드몬드가 빠르게 다가와 몬스터의 다른 팔 하나를 더 뜯어내었다.

다행이었다.

영혼의 고리 효과로 인해 모두의 능력치가 떨어졌지만 두 개의 팔을 잃은 몬스터를 상대하기에는 충분했다.

"형님, 괜찮아요?"

"이게 괜찮아 보이냐? 죽을 것 같다. 빨리 돌아가자."

돌아가려고 하니 몬스터의 사체가 너무 아깝게 느껴졌다.

"잠깐만 기다려. 저 몬스터의 사체를 상자에 넣어줘."

등에서는 여전히 피가 흐르고 있었고, 통증이 계속해서 느껴졌지만 겨우 정신을 차리고 몬스터의 사체가 상자 안에 들어가는 모습을 지켜봤다.

"이제 복귀한다. 빠르게 움직여라."

아이템의 영향으로 죽지는 않을 것이다. 목이 잘리지만 않으면 생명은 유지할 수 있으니. 그리고 몸에 새겨진 보호의 문양이 재생력을 높여주기도 했다.

*　　　　*　　　　*

나는 왕궁으로 복귀하고 며칠간을 침대에 누워 있어야 했다.

왕궁 치료사들이 옆에 붙어 치료를 해주었기에 상처는 빠르게 회복되었다.

스승님도 하루도 빠지지 않고 내 상태를 확인했다.

내 상처가 걱정되는 것보다 수련을 빨리 시작하고 싶어 하는 눈치였다.

하나밖에 없는 제자가 걱정되지도 않는지.

수련 못 시켜서 죽은 귀신이라도 붙어 있는 건지.

치료사들의 능력이 뛰어나기도 했지만 보호의 문양이 상처를 빠르게 아물게 했다.

나는 예전 같으면 최소 한 달은 꼼짝없이 침대에 있어야 했으나 치료사와 문신 덕분에 일주일이 흐르기도 전에 자리에서 일어날 수 있었다.

회복된 모습을 확인한 스승은 바로 수련장으로 나를 데리고 갔다.

"몬스터에게 상처를 입은 것은 네가 아직 문양을 제대로 사용하지 못해서다. 그리고 전투 경험도 너무 부족하구나. 오늘은 실전에 가까운 훈련을 하겠다."

전투 경험이 부족하다는 것은 나도 느끼고 있었다.

그렇지만 스스로 괴물이 되어 공격해 들어올 필요는 없잖아.

스승님은 마치 미친 사람처럼 마구잡이로 공격해 들어왔고 나는 급히 문양을 활성화시켜야 했다.

공격이 매서워 나는 막기에 급급했다.

하지만 모든 공격을 막을 수는 없었기에 나는 점점 샌드백이 되어갔다.

샌드백이 된 지 반나절이 지나서야 수련은 끝이 났다.

"생각보다 문양을 빠르게 활성화시켰구나. 무슨 계기라도 있느냐?"

계기? 몬스터의 물집을 보고 각성했다고는 도저히 말할 수 없다.

"전부 스승님의 교육 덕분입니다. 감사합니다."

이럴 때는 칭찬으로 말을 돌리는 것이 제일 좋은 방법이었다.

Chapter 2

각성 II

우리는 이제 악마의 탑 4층에서는 부상을 입지 않을 정도가 되었다.

다른 나라는 아직 4층 공략을 하지 못하고 사망자의 수만 늘려 나가고 있었다.

우리가 빠르게 악마의 탑을 공략하는 것도 중요하지만 다른 나라의 피해를 줄이는 것도 중요했다. 악마의 탑은 사망자의 에너지를 빨아 먹었고, 그 에너지는 전부 마왕의 부활을 위해 사용되고 있는 실정이었다.

악마의 탑에서 사망자가 생기면 마왕의 부활이 앞당겨진다는 사실을 모두가 알고 있었지만 악마의 탑을 폐쇄하는 국가는 아무도 없었다.

성능이 좋지 않은 마법 아이템이라고 할지라도 일반 무기에 비해 몇 배는 비싸게 팔려 나갔다. 돈의 유혹을 이길 수 있는 나라는 없었다.

항마 전쟁에서 많은 병사와 물자를 잃은 나라들이 군사력을 다시 키우기 위해 많은 돈을 필요로 했고, 능력이 부족한 기사들마저 악마의 탑으로 밀어 넣었다.

악마의 탑 1층과 2층은 일반 기사들에게는 위험한 장소였다.

세 번에 한 번 꼴로 사망자가 나왔지만 마법 아이템을 구하기 위해 끊임없이 데빌 도어를 작동시켰다.

이렇게 대부분의 나라에서 마법 아이템을 악마의 탑에서 구했고 그 아이템을 팔기 위해 상행위가 발전하게 되었다.

마법 아이템은 일반 사람들이 구입할 수 없는 고가의 아이템이었다.

판매자는 구입자를 찾아 나서야 했고, 구입자는 좋은 물건을 구하기 위해 여러 상인들의 방문을 반겼다.

그리고 가장 많은 상인들이 찾는 곳은 브루니스 왕국이었다.

브루니스 왕국은 이미 이전부터 최진기의 영향으로 마법 아이템을 구할 수 있는 곳으로 유명해져 있었고, 지금은 왕국 차원에서 악마의 탑 3층 이상을 매주 공략하고 있었기 때문에 질 높은 마법 아이템을 구할 수 있는 유일한 국가이기도 했다.

브루니스 왕국도 다른 나라와 사정이 비슷했다.

남부의 귀족들이 상행위를 한다고는 하지만 들어오는 세금의 양은 그대로였고, 마법 아이템 판매에 눈을 돌릴 수밖에 없었다.

아다드 왕은 마법 아이템의 판매를 위해 관련자들을 소집했고, 당연히 최진기도 소집되었다.

"다른 국가에서도 마법 아이템을 악마의 탑에서 구하고 있기는 하지만 매우 저질의 물건들입니다. 악마의 탑은 최소 3층 이상은 돼야 제대로 된 아이템을 구할 수 있습니다. 1층과 2층에서 나오는 무기보다 우리 병사들이 사용하는 일반 무기들이 오히려 더 좋은 경우도 있습니다."

브루니스 왕국의 일반 병사들은 전부 내가 강화시킨 무기를 사용하고 있었다.

마법 아이템도 틈틈이 만들어 왕국의 기사단과 블루 웨이브 기사단에게 우선적으로 공급하고 있었고, 이제는 잉여 마법 아이템도 재고가 충분히 쌓였다.

잉여 마법 아이템이란 우리 기사들이 사용하기에는 부족하지만, 마법 아이템을 소유하고 싶어 하는 부호들의 호기심을 끌 만한 아이템들을 일컬었다.

아무리 우리에게 필요 없는 아이템이라고 할지라도 헐값에 팔아넘길 수는 없었다.

마법 아이템은 내가 만들거나 혹은 우리 파티가 악마의 탑을 공략하면서 구한 것들이다.

노력한 만큼의 돈은 받아야 했다.

"이미 여러 국가의 상인들이 우리 왕국을 방문해 마법 아이템의 판매를 요구하고 있다네. 왕국의 발전을 위해서는 어쩔 수 없이 마법 아이템을 판매해야 된다는 것에 모두 동의하고 있다네.

아이템을 어떻게 판매하는 것이 좋은지 의견이 있으면 내보게나."

브루니스 왕국에서 상행위는 남부의 귀족들이 전문이었다.

왕국에서 손꼽히는 상단은 대부분이 남부 귀족의 소속이기도 했고, 충분한 경험도 그들에게 있었다. 하지만 남부 귀족들에게 마법 아이템의 판매권을 주는 것은 매우 위험했다.

지금 운영하고 있는 상단의 수익을 조작해 세금을 최대한 적게 내려고 노력하는 그들에게 마법 아이템의 판매권을 주는 것은 왕국이 아닌 남부 귀족의 배를 불려주는 일이었다.

곡예는 곰이 부리고 돈은 애먼 사람이 챙기는 꼴을 볼 수는 없었다.

"바잔트 영지에서 경매장을 열었던 것을 기억하십니까?"

바잔트 영지의 경매장은 지금은 폐쇄되었지만 전국의 귀족들과 상인들의 관심을 한 몸에 받은 바 있었기 때문에 여기에 모인 사람 중에 경매장에 대해서 모르는 사람은 없었다.

특히 남부 귀족 파벌은 경매장을 차지하기 위해 바잔트 영지에 영지전을 걸었던 적도 있었기에 더욱 잘 알고 있었다.

"지금 왕국에 경매장을 열자는 말을 하려고 하는 건가? 좋지 않은 생각이군. 자네가 아직 상행위를 한 적이 없어 모르는 것 같군. 경매장에 물건을 구입하기 위해 상인들이 찾아올 거라고 생각하는가? 다른 나라에서도 지금 마법 아이템들이 쏟아져 나오고 있다네. 가격에 메리트를 주지 않는다면 굳이 그들이 우리 나라까지 찾아올 이유가 없지."

"맞는 말씀이십니다. 이런 일은 전문가에게 맡겨야 하는 법이죠. 상단을 운영한 경험이 많은 남부 귀족 상단에게 마법 아이템의 판매를 맡긴다면 좋은 가격으로 여러 나라의 귀족들과 상인들에게 팔 수 있습니다."

죽이 척척 맞는 사기꾼들이었다.

부른 배를 산만하게 만들기 위해 밑밥을 열심히 뿌리는 남부 귀족들이었다.

그런 뻔한 수작에 넘어갈 거라고 생각하는 건지.

"다른 나라에서도 흔히 구할 수 있는 물건들만 있다면 굳이 경매장을 열 이유가 없겠지요. 하지만 우리 왕국에서 나오는 아이템들은 다른 나라의 마법 아이템들보다 한 단계에서 몇 단계 이상의 능력을 가지고 있습니다. 괜히 직접 찾아다니며 아이템들을 판매하는 것은 물건의 가치를 낮추는 행위라고 생각합니다. 우리는 고급화 전략을 펼쳐야 합니다. 카인트 공작님이 목숨을 걸고 구한 아이템들입니다. 절대 헐값에 넘길 수는 없습니다."

이럴 때는 가장 높은 직위를 가지고 있는 사람의 이름을 파는 게 효과적이다.

남부 귀족들은 여전히 자신들이 판매권을 가지게 되면 얼마나 큰 이득을 벌 수 있는지 시끄럽게 떠들어대었지만 이미 아다드 왕의 마음은 정해져 있었다.

남부 귀족을 믿기는 어렵겠지.

자신의 왕위를 노리던 남부 귀족들이었다. 지금 저들을 바라

보고 있는 것도 큰 곤욕일 것이다. 불가피한 일이 아니라면 남부 귀족들에게 이득이 가는 일을 하지는 않을 것이다.

"바잔트 경매장이 얼마나 큰 수익을 올렸는지는 들었네. 마법 아이템의 판매권을 카인트 공작에게 주도록 하겠네."

카인트 공작에게 판매권을 준다는 것은 결국 나에게 판매권을 일임하겠다는 뜻이다.

카인트 공작은 훌륭한 기사였지만 상인은 아니었다.

경매장을 열기 위해서는 몇 가지 중요한 요소가 있었다.

고급화 전략을 펼치기 위해서는 고급스러운 건물이 필요했고, 마법 아이템의 질도 높아야 했다.

그리고 구매자의 욕구를 키우기 위해 팸플릿도 제작해야겠지.

그리고 경매장을 운영해 본 경험이 있는 사람이 필요했다.

에크가 있었다.

바잔트 영지의 경매장을 직접 운영했던 에크가 꼭 필요했다.

바잔트 영지에서 잘살고 있나 몰라.

바잔트 영지에서 영주를 제외하면 에크와 가장 친하게 지냈다.

그는 상재와 돈에 대한 욕심은 있었지만 헛된 생각을 하지 않는 인물이었기에 믿음이 갔다.

* * *

육체 강화술을 수련하며 악마의 탑 4층을 몇 번 더 공략하고 나서야 경매장은 완공되었다.

미리 제작한 팸플릿을 다른 나라와 교류하는 상행에 부탁해 거대 상가와 귀족들에게 넘겨주었다.

이미 그들의 관심은 뜨거웠다.

당연한 일이었다.

악마의 탑 4층에서 나오는 아이템들과 내가 만드는 마법 아이템들은 다른 나라에서는 절대 구할 수 없는 능력을 가지고 있었다.

경매장이 열리려면 아직 며칠을 더 기다려야 했지만 이미 많은 사람들이 경매장 주변에 자리를 잡고 있었고, 브루니스 왕국의 수도는 급작스럽게 늘어난 사람에 여관은 물론이고 식당들도 남는 자리가 없이 꽉 차버렸다.

경매장을 열 준비는 끝이 났다.

에크도 제 시간에 맞게 도착했다. 그의 지휘하에 우리는 경매장에 팔 물건들의 위치를 조정하고 일정을 잡는 등의 준비를 했다.

에크는 웬만한 일을 홀로 해결할 정도로 열성적이었다.

하지만 중요한 결정은 절대 혼자 하지 않았다.

"형님, 경매장을 열 모든 준비를 마쳤습니다. 한 가지만 결정을 하면 당장 내일이라도 경매장을 오픈할 수 있습니다."

"뭐가 문젠데? 물건도 전부 준비가 되어 있고, 건물도 완공했는데. 문제가 될 게 있어?"

"가장 큰 문제가 하나 남아 있습니다. 우리 경매장은 고급화 전략을 펼치고 있지 않습니까. 고급화 전략을 실현시키기 위해 가장 중요한 것 중 하나가 개회사를 누가 하는가입니다. 제 마음 같아서는 폐하께서 직접 개회사를 하시는 게 좋겠지만 안 되면 카인트 공작님이라도 모셔오는 게 좋을 것 같습니다."

"그게 그렇게 큰 문제였어? 일단 폐하에게 말해놓을 테니까 걱정은 하지 마. 아마 폐하께서 해주실 거야."

아다드 왕은 남부 귀족에게 가려져 공식 행사에서 빛을 본 적이 없었고, 지금은 앞에 나서지 못해 안달이 나 있는 상태였다.

억눌린 감정을 이제야 풀고 있는 것이다.

*　　　*　　　*

경매는 완벽했다.

우리가 최소로 책정했던 금액은 첫날에 뛰어넘어 버렸고, 국정 운영비와 맞먹는 금액을 일주일 만에 벌어들였다. 가장 높은 가격을 받은 아이템은 악마의 탑에서 구한 아이템이 아니라 내가 강화시킨 무기 중 하나였다.

역시 남자들은 정력을 중요하게 생각한다니까.

좋은 아이템이 있어야 악마의 탑을 더욱 안전하고 빠르게 공략할 수 있다는 사실을 잘 알고 있었기에 각국은 앞다투어 무기를 사들였다.

금액은 크게 상관하지 않는 것 같았다.

자신들도 어서 좋은 무기를 구입해 악마의 탑을 공략하면 우리와 같은 수익을 얻을 수 있다는 생각에 그런 것이었다.

하지만 후발 주자는 항상 힘든 법이지.

다른 나라에서 악마의 탑 4층을 공략할 때면 우리는 더 높은 층을 공략하고 있을 것이다.

그들은 우리를 쫓기 위해 더 좋은 무기를 구입하기를 원할 것이고 경매장 수익은 악마의 탑에 없어지지 않는 한 계속해서 늘어날 것이었다.

경매장은 이제 에크 혼자 관리할 수 있을 정도의 시스템을 갖추었다.

북부의 블루 웨이브 기사단이 지키는 경매장을 침입할 간 큰 도둑은 없었고, 경보 기능이 있는 아이템도 경매장 주변에 설치를 해놓았기에 경매장에 도둑이 들 걱정은 하지 않아도 되었다.

경매장은 문제가 없었지만 하루가 너무 길었다.

"오늘은 일찍 왔구나. 경매장의 일은 이제 네가 없어도 잘 돌아간다고 들었다. 이제는 하루 종일 수련을 할 수 있겠구나."

빠르게 시스템을 완성한 에크가 괜히 미워졌다.

육체 강화술의 수련은 정말 무식했다.

육체의 한계를 뛰어넘게 수련을 한다고 극단적인 대련을 하는 것은 물론이고, 체력 단련을 위해 무거운 바위를 짊어지고 수련장을 쓰러지기 전까지 뛰어다녀야 했다.

적응할 만해지면 더 무거운 바위를 어디선가 구해 왔고, 악순환은 끊어지지 않았다.

아무리 독한 마음을 먹고 있다고는 하지만 매일같이 비명을 질러대는 육체는 점점 지쳐 갔다. 포기하고 싶다는 마음이 들기 시작할 때 스승님의 입에서 의외의 말이 나왔다.

"육체 수련은 이제 그만해도 되겠구나. 육체가 고리의 강화를 견딜 정도가 되었구나. 너는 워낙 허약한 육체를 가지고 있었기에 기본 수련에 중점을 두었지. 나 같은 경우에는 육체 수련과 고리 강화 훈련을 동시에 했었지. 고리가 강화되면 네 몸에 새긴 문양의 기본 능력이 상승되고, 문양을 활성화시키지 않아도 육체 능력이 상승될 것이다."

드디어 지겨운 육체 수련이 끝난다는 말에 환호성을 지르고 싶었다.

"고리 강화 수련은 길고 지겹다. 나도 평생을 해왔지만 어느 단계 이상을 나아가지 못하고 있지. 그래도 너는 퍼스트의 재능을 가지고 있으니 나보다는 빠르게 고리를 강화시킬 수 있을 게다."

퍼스트의 재능은 고리의 크기 차이나 다름이 없었다.

스승이 가지고 있는 고리는 야구공 크기였지만 최진기는 두 배 정도 큰 고리를 가지고 있었다. 고리의 힘의 원천이 무엇인지는 스승도 제대로 알고 있지 못했다.

고리를 활용하는 방법에 대해서는 알고 있었지만 어디서 나온 힘인지는 스승은 물론이고 그의 스승의 스승도 모르고 있었다.

"귀신 좋아하나?"

갑자기 웬 귀신 싸다구 날리는 소리지?

귀신을 좋아하는 사람이 어디 있겠는가.

"귀신을 그렇게 좋아하지는 않지만, 무서워하지도 않습니다."

한 번도 본 적 없는 귀신을 무서워할 이유는 없었다.

"그렇다면 다행이군. 고리를 강화하기 위해서는 공동묘지에서 수련을 해야 한다. 그것이 가장 효과가 좋다. 공동묘지가 없으면 도살장도 괜찮지."

"공동묘지 말씀이십니까?"

"그렇지. 그것도 낮보다 밤에 수련을 하는 것이 더욱 효과적이지. 달이 뜨고 공동묘지에서 고리 강화 수련을 하면 낮에 비해 배는 높은 효과를 얻을 수 있지."

그렇게 나는 매일같이 공동묘지에서 귀신의 귀곡성을 들으며 몸을 떨며 수련을 해야 되었다.

공동묘지를 좋아하는 사람이 있다면 정신감정을 받을 필요가 있을 것이다.

음기가 가득하고, 가만히 있어도 등골에 차가운 땀이 맺히는 곳에서 무슨 수련을 한단 말인가. 아무리 생각해도 스승님의 수련 방식은 문제가 있었다.

"오늘은 달도 적당한 크기로 떠 있군. 역시 너는 운이 좋아."

초승달이 뜬 날에 공동묘지에 있는데 운이 좋다는 말을 듣게 되다니.

내가 가지고 있는 상식과는 큰 차이가 있는 말이다.

"고리를 강화하기 위한 수련을 굳이 공동묘지에서 해야 되는 이유가 있습니까?"

"내가 설명을 해주었듯이 굳이 공동묘지가 아니라도 상관은 없다. 사형이 집행되는 장소나, 도살장에서도 수련을 할 수 있다. 공동묘지가 마음에 들지 않으면 도살장으로 갈까?"

"그게 아니라, 굳이 음흉한 곳에서 수련을 해야 되는 이유가 있는지 궁금한 겁니다."

진지한 표정으로 스승님을 바라보며 말했다.

스승은 잠시 고민을 하고는 입을 열었다.

"나도 모른다. 나의 스승님께서 그렇게 가르쳐 왔고, 이 방법이 효과적이라는 것만 알고 있다."

이 얼마나 무책임한 말인가.

미분의 원리에 대한 질문에 '그냥 외워!'라고 답하는 선생과 다를 바가 없었다.

"공동묘지가 무섭게 느껴지느냐? 하긴 나도 8살 때 공동묘지에 처음 가고 무서워서 울었던 기억이 있구나. 하지만 너는 20살이 넘었다고 하지 않았나?"

이렇게까지 말하는데 장소를 옮기자고 하면 내가 8살배기 꼬맹이나 다름이 없다고 인정하는 것이다.

이러면 독박인데. 공동묘지에서 수련해야 되다니. 차라리 훈련소를 다시 가고 말지.

"참고로 말하면 처음이 힘들지, 나중에는 달이 뜬 어두운 공동묘지를 좋아하게 될 날이 올 게다. 지금은 아무리 말해도 이해하지 못하겠지만 나중에는 하늘이 어두워지면 알아서 공동묘지를 찾아가게 되는 너의 모습을 발견하게 될 거다."

공동묘지 귀신에 빙의라도 된 건가?

무슨 헛소리를 이렇게 심하게 하는지.

"가장 편한 자세로 누워보거라. 가슴을 최대한 하늘 위로 들고 기운을 받아들이거라. 조금씩 공동묘지의 기운이 고리를 강화시켜 주는 것이 느껴질 것이다."

"이렇게만 하면 되는 겁니까?"

허리가 조금 불편하기는 했지만 지옥 같은 육체 수련에 비하면 너무 쉬운 수련법이었다.

"아직 시작도 안 했다. 일단 편한 자세로 누워 기운을 받아들이면 가슴이 시린 기분이 들 게다. 그런 기분이 들면 고리를 강화시킬 준비가 되었다는 뜻이다. 그러면 주문을 외우면 된다."

"주문도 있습니까?"

점점 사이비 종교에 가입한 느낌이 들었다.

"나도 단번에 외울 정도로 주문은 어렵지 않으니, 너같이 머리가 좋은 놈은 금방 외울 수 있을 거다. 자, 따라해 보거라."

이거 진짜 따라 해야 되나?

진지한 표정으로 주문을 외우고 있는 스승의 얼굴을 보자니 장난은 아닌 것 같았다.

"마르니안 줌베이. 마코크리안 줌베이. 마이드 줌베이."

세 가지로 구성되어 있는 주문을 외우는 것은 쉬웠다.

하지만 막상 하려니 부끄러웠다.

누군가가 이 모습을 보기라도 한다면 사이비 종교의 집회를 하고 있다고 착각할지도 모른다.

"빨리 주문을 말해보거라. 혹시 제대로 외우지 못한 게냐? 머리가 좋은 줄 알았더니, 그게 아니었나 보군. 다시 알려주겠다."

"아닙니다. 주문은 외웠습니다. 마르니안 줌베이. 마코크리안 줌베이. 마아드 줌베이. 근데 주문이 무슨 뜻입니까? 혹시 주문이 무슨 뜻을 가지고 있는지도 모르는 것은 아니겠지요?"

"모른다."

스승의 당당한 말 한 마디에 절로 한숨이 새어 나왔다.

"이 수련은 옆에 누가 있으면 수련 효과가 반감된다. 나는 이만 돌아가 보겠다. 해가 뜰 때가지 주문을 외우거라. 눈은 감아도 되지만 잠에 빠지면 수련의 효과는 없다. 내가 불시에 찾아와 확인을 할 테니 정신을 바짝 차리고 하거라."

하루가 지났다.

너무도 긴 시간이었다.

묘지에서 이상한 소리를 들은 것만 37번이었고, 나무가 바람 반대 방향으로 흔들린 경우가 28번, 몸을 누가 간질이는 느낌을 받은 적만 21번이었다.

반나절이 이렇게 길었다니.

불시에 찾아온다는 스승은 해가 뜨고 나서야 찾아왔다.

"내가 요즘 밤잠이 늘어서……."

이따위 헛소리나 하는 스승의 밑에서 계속 수련을 해야 되는지 의구심이 엄청나게 들었지만 포기할 수가 없었다.

"고리가 강해졌구나."

정말 수련의 효과가 있었기 때문이다.

이따위 사이비 종교에서나 할 법한 짓이 효과가 있었다.

고리는 조금이지만 크기가 커졌고, 색도 진해졌다.

"문양을 발동시켜 보거라. 강해진 게 느껴질 게다."

고리에서 에너지를 뽑아내 발에 있는 문양으로 쏟아내었고, 문양은 금방 밝게 빛을 냈다.

그리고 느낄 수 있었다. 이전보다 강해진 힘을.

한 번에 몇 단계를 뛰어넘은 정도는 아니었지만 차근차근 한 단계씩 올라가는 느낌은 받았다.

차라리 효과라도 없었으면…….

이제는 어쩔 수 없이 매일 공동묘지를 찾아야 될 판이다.

잠을 제대로 자지 못했기에 눈 밑에 생긴 다크서클은 점점 내려오기 시작했고, 이제는 내가 귀신이 아닌지 의심스러울 정도였다.

시간이 흐르기를 손꼽아 기다렸다.

공동묘지에서 벗어나려면 악마의 탑에 들어가는 수밖에 없었다.

악마의 탑에 들어가기 전날은 준비도 해야 했고, 최적의 컨디션을 만들기 위해 충분한 휴식을 취해야 했기에 생일을 기다리는 아이의 마음으로 악마의 탑을 공략하는 날을 기다렸다.

* * *

귀신과의 동침을 견디고 드디어 악마의 탑에 들어왔다.

악마의 탑에 들어서자 가슴이 뻥 뚫린 느낌을 받았다.

특히 악마의 탑 1층은 놀이터와 다름이 없었다.

귀엽게 생긴 몬스터들이 우리를 기다리고 있었고, 적절한 준비운동까지 시켜 주니 기분이 나쁠 수가 없었다.

1층부터 3층까지는 일사천리였다.

덤벼드는 몬스터들을 식당에 날아다니는 파리처럼 처리하고는 4층에 진입했다.

"오늘은 5층을 목표로 한다. 진도 한층 강해졌으니 충분히 5층을 공략할 수 있을 것이다."

4층에서 멈춘 지 한참이 지났다. 매번 달라지는 4층의 몬스터들의 패턴이 이제 눈에 익을 정도였다.

여러 개의 아이템을 구했고, 그 아이템들로 더욱 강해졌기에 자신도 있었다.

특히 브로안의 방어력은 사람의 능력이 아니었다.

방패는 물론이고, 내가 만든 아이템과 몬스터를 사냥하면서 구한 아이템까지.

수십 개의 아이템을 두르고 있었다.

브로안이 차고 있는 아이템만 팔아도 웬만한 영지 몇 개는 살 수 있을 정도였다.

모든 무기를 그에게 몰아주어야 할 정도로 브로안의 역할이 중요했다.

파티에서 메인 탱커의 중요성은 악마의 탑을 경험하면 할수록 절실하게 느껴졌다.

"최고로 빠른 속도로 4층에 도착한 것 같은데요. 오늘은 진짜 5층을 갈 수 있을 것 같아요."

"그러네. 보자, 이런 환경이면 파마크가 나오겠네."

파마크는 4층 몬스터 중에서 가장 강한 몬스터였다. 4층에서 처음 만난 몬스터이기도 했고, 좋지 않은 추억을 우리에게 선물해 준 몬스터였다.

"오늘은 뭐로 준비했어요? 돼지? 아니면 소?"

"소고기는 아깝잖아. 돼지고기로 준비했지."

파마크를 직접 상대하며 괜히 체력을 뺄 필요는 없다. 정공법으로 상대해도 충분히 이길 수 있었지만 쉬운 길을 두고 돌아갈 필요는 없다.

아크타르를 담은 고깃덩어리 하나면 파마크 한 마리를 상대할 수 있다.

욕심 많은 파마크가 정량을 어기고 두 덩이의 고기를 집어 먹을 수도 있어 많은 양의 고기를 준비해 놓았다.

"어깨 운동 좀 부탁드립니다."

준비한 고기를 나누어 가졌고, 우리는 동시에 고기를 파마크 무리에 집어 던졌다.

가장 선두에 있는 파마크가 고기를 집어 먹고 바닥에 쓰러지는 모습을 보면서도 파마크들은 식욕을 억제하지 못하고 날아오는 고깃덩어리를 입속으로 집어넣었다.

10마리가 넘는 파마크 모두를 식곤증에 빠지게 하는 데 20분도 걸리지 않았다.

그리고 어김없이 데빌 도어 앞에서 염소 괴물이 우리를 기다리고 있었다.

파마크가 나오는 층의 보스 몬스터는 염소 괴물로 정해져 있었다.

패턴은 바뀌지 않았고, 우리는 염소 괴물을 여러 번 상대해 봤다.

"빠르게 처리하고 5층으로 올라간다. 너무 오랫동안 4층에서 지체했다."

"알겠습니다, 공작님. 제가 먼저 가보겠습니다."

얼마나 많은 무기를 주렁주렁 매달고 있는지 브로안이 한 걸음을 옮길 때마다 흙먼지가 일 정도였다.

"오랜만이다! 염소 고기가 그렇게 맛있다며, 뒷다리 살 하나만 떼어주면 살려줄게."

"메에에에!"

염소가 화가 났다.

뒷발을 구르며 빠르게 브로안에게 달려들었고, 브로안은 방어 자세를 취하지도 않고 염소를 향해 달려들었다.

염소의 공격이 자신에게 아무런 충격을 주지 않는다는 사실을 이미 알고 있었기에 가능한 행동이었다.

탱커 역할을 하는 브로안이 다치기라도 한다면 전투의 흐름은 한순간에 넘어가 버린다.

그랬기에 우리는 브로안을 진정시키기 위해 좋은 말로 다독여도 보고, 구박도 해봤지만 소용이 없었다. 브로안은 머리보다 몸이 먼저 움직이는 스타일이었다.

쾅!

브로안의 방패에 염소의 뿔이 부딪쳤다.

밀리는 쪽은 몬스터였다.

염소의 뿔의 상단부는 부서졌고, 한참이나 뒤로 밀리고 나서야 멈출 정도로 브로안의 힘이 강했다.

내 옆이 허전했다.

어느새 공작과 아드몬드가 몬스터를 향해 뛰어갔다.

나도 뒤질 수는 없지.

고리를 빠르게 강화시키고 있긴 했지만 여전히 공작과 아드몬드에 비하면 약한 공격력을 가지고 있었다.

하지만 그래도 이대로 놀고 있기는 미안해, 조금 늦었지만 몬스터를 향해 뛰어갔다.

푹! 찌익!

"형님, 너무 늦게 온 거 아닙니까? 이미 끝났습니다."

브로안의 말처럼 이미 끝나 있었다.

최대한 빨리 움직인다고 했지만 공작의 검과 아드몬드의 검이 몬스터를 찢어발겨 버렸고, 브로안의 방패가 몬스터의 머리에 박혀 있었다.

"오늘은 웬일로 아이템을 안 뒤지네."

"아! 맞다. 잠깐만요."

아이템에 대한 욕심이 강한 브로안이 염소의 몸을 헤집어 아이템을 챙겼다.

"형님, 제가 사용할 만한 아이템인가요?"

이제는 나를 아이템 감정사쯤으로 생각하고 있는 브로안이었다.

"이거 쓰레기야. 경매장에 팔아치우면 딱이겠네. 이제는 아이템을 착용할 곳도 얼마 없으면서 아이템에 대한 욕심은 끊이지를 않네."

"아이템은 많으면 많을수록 좋잖아요. 아이템이 없었다면 우리가 4층을 이렇게 빨리 공략할 수 있었겠어요?"

"하긴 아이템발로 여기까지 온 건 사실이지."

"숨을 고르고 5층으로 올라간다. 특히 브로안! 너는 절대 선불리 움직이지 말거라. 얼마나 강한 몬스터가 있을지 모른다."

공작은 자신의 말이 브로안의 머릿속에 남아 있지 않을 거라는 것을 알면서도 경고를 했고, 브로안은 대답 하나는 우렁차게 했다.

*　　　*　　　*

악마의 탑 5층은 확실히 풍겨내는 분위기가 달랐다.

4층까지는 그래도 아름다운 자연으로 꾸며져 있었다면 5층부터는 지옥의 입구쯤으로 느껴졌다. 코를 톡 쏘는 녹색 연기가 시야를 가리고 있었고, 몸이 끈적거릴 정도로 습도와 온도가 높았다.

마치 한증막에 온 것 같은 기분이 들었다.

"저거 뜨겁겠죠?"

강이 흘러야 할 곳에 물 대신 붉은 용암이 흐르고 있었다.

"당연히 뜨겁지."

보관 상자에서 고기 한 덩어리를 꺼내 용암이 흐르는 강으로 던졌다.

퐁! 치이이익!

고기는 순식간에 검게 타버리더니 녹아버렸다.

꿀꺽!

브로안의 침 넘기는 소리는 고기가 먹고 싶어서가 아닐 것이다.

처음 보는 용암이 주는 두려움을 나타내는 것이다.

"어떤 몬스터가 나올까요?"

"나도 모르지. 어떤 몬스터가 나올지는 가봐야 알겠지."

길은 여전히 하나였다.

몸을 숙이고 천천히 전진했다.

용암의 열기를 직접적으로 느낄 때 5층에 서식하는 몬스터가 모습을 드러냈다.

붉은 몸이 마치 용암처럼 보이는 바위 괴물.

이번에도 몬스터 도감에서 본 적이 없는 몬스터였다.

어떤 방식으로 공격하는지, 약점이 무엇인지 모르는 상태에서 전투를 벌여야 했다.

"바위 괴물이면 일단 방어력은 뛰어나겠네요. 그런데 몬스터 치고는 좀 작네요."

1m가 조금 넘을 정도의 크기를 하고 있는 바위 몬스터였다.

붉은 몸에서는 연기가 계속 피어올라와 크기를 숨기려고 하고는 있었지만 작은 키를 숨길 수는 없었다.

"저거 그냥 발로 차서 용암으로 떨어뜨리면 되는 거 아닌가요? 한번 해볼게요."

브로안은 역시나 말릴 틈도 주지 않고 몬스터를 향해 달려들었다.

방패를 강하게 휘둘러 바위 몬스터의 측면을 쳤다.

쾅!

브로안의 방패에 밀려 용암지대로 굴러가는 몬스터였다.

"생각보다 쉬운데요. 제가 끝낼게요."

브로안은 자신의 방법이 통한다는 것에 신이 나 바위 몬스터들을 방패로 밀어 용암으로 밀어버렸다.

정말 이렇게 쉽게 끝날까?

4층을 완벽하게 공략하는 데 몇 달이 걸렸는데 5층을 이렇게 쉽게 공략할 수 있을까?

쾅!

브로안의 방패에 의해 용암 괴물은 하나둘 용암지대로 굴러들어갔고, 얼마 지나지 않아 모든 용암 몬스터가 용암지대에서 온천욕을 하게 되었다.

"형님! 이거 너무 쉬운 것 아닙니까? 오늘 안에 6층도 공략할 수 있겠는데요?"

"이렇게 쉽게 끝날 리가 있겠어? 집중하고 긴장해."

브로안에게 긴장을 풀지 말라고 했지만 나 또한 긴장을 풀고 말았다.

방심을 하는 순간 위기는 찾아온다.

"브로안, 피해!"

카인트 공작이 다급히 소리쳤다.

핏빛 용암이 하늘로 솟구쳐 오르며 브로안을 집어삼키려고 하고 있었다.

브로안은 황급히 방패로 몸을 가렸다.

쾅!

용암이 떨어져 내려서는 날 수 없는 소리가 브로안의 방패에서 울려 퍼졌다.

쾅!

한 번이 아니었다.

방패를 두드리는 소리는 계속해서 터져 나왔고, 브로안은 땅 속에 거의 묻히다시피 하고 있었다. 브로안이 날려 버렸던 용암 괴물들이 브로안의 방패에 떨어졌던 것이다.

용암 괴물들은 몸을 날려 브로안의 방패를 치고는 다시 원래의 자리로 돌아갔다.

그리고 아무런 일도 없었다는 듯이 정적이 찾아왔다.

"브로안! 괜찮아?"

우리는 브로안을 향해 황급히 달려갔다.

"어깨가 뻐근한 거 말고는 괜찮습니다. 어디서 돌덩이들이 시비를 걸고 난리야!"

브로안은 옷에 묻은 먼지를 털며 자리에서 일어났고 그가 있던 곳에는 깊게 파인 웅덩이가 생겨나 있었다.

"저 붉은 돌덩어리들은 자리를 지키고 있는 것 같은데 그냥 넘어가 버리면 안 될까요?"

돌로 된 소나기를 맞고도 아직 정신을 차리지 못한 브로안의 말에 아무도 관심을 주지 않았다.

"지정된 위치로 들어서면 공격하게끔 되어 있는 몬스터 같습니다. 그 전에는 우리를 봐도 선제공격을 하지는 않는 것 같네요."

선제공격을 하지 않는 몬스터는 처음이었다. 움직이지 않는 용암 괴물의 모습에 작전을 구상할 시간을 벌긴 했지만 뾰족한 수가 생기지는 않았다.

"돌을 피해 갈 수는 없겠나?"

브로안은 결국 자신의 의견에 동조하는 공작의 말에 기운을 되찾고는 목소리를 높였다.

"제가 확인해 보고 오겠습니다."

용암 괴물을 피해 앞으로 나가기 위해서는 미션 임파서블에 나오는 주인공처럼 몸을 정교하게 움직여야만 할 정도로 좁은 길이었다.

브로안처럼 큰 덩치를 가지고 있는 사람이 지나가기에는 무리였다.

쾅!

역시…….

용암 괴물의 사이를 비집고 들어가려고 했던 브로안은 다시

한 번 돌 소나기의 매운맛을 느끼고는 뒷머리를 긁적이며 돌아왔다.

"마음처럼 쉽지가 않네요."

길을 막아서고 있는 용암 괴물을 뚫고 지나갈 방법을 생각해야 했다.

"형님, 아크타르 폭탄이면 저 돌덩이들을 부술 수 있지 않을까요?"

언제부터인가 아크타르 폭탄에 의지하기 시작하는 동료들이었다.

물론 아크타르 폭탄의 위력은 인간이 낼 수 없는 파괴력이었지만 그래도 만능은 아니었다.

그래도 한번 시도는 해볼까?

아크타르 폭탄 하나를 브로안에게 건네주었고, 브로안은 바로 폭탄을 용암 괴물에게 던졌다.

펑!

흙먼지가 피어올랐다. 땅이 울릴 정도로 강한 폭탄의 위력에 혹시나 하는 마음이 생겼지만 역시나였다.

용암 괴물은 길에서 튕겨 나가 있었지만 바로 자리를 찾아 움직였고, 다시 입구에 붉은색의 장벽이 쳐졌다.

약점은 있을 건데.

모든 몬스터는 강한 힘을 가지고 있었지만 약점도 분명히 존재했다.

약점이 뭘까?

고민은 한동안 계속되었다.

'땅에 묻어버릴까'라는 생각도 들었고, '벽을 뚫고 지나갈까'라는 생각도 했었다.

하지만 전부 실현 불가능했다.

"형님, 저것들도 금속이 아니겠습니까? 형님의 능력으로 저것들을 녹여버리면 되지 않습니까?"

아!

머리에서 빛이 하나 내려왔다.

브로안의 말에 깨달음을 얻었다는 것이 자존심이 상하긴 했지만 분명 가능성은 있는 작전이었다.

"그래! 저것들의 몸을 이루고 있는 것도 금속이니 내가 충분히 해결할 수 있을 거야."

"믿습니다, 형님!"

들으면 들을수록 기운이 빠지는 브로안의 응원을 받으며 용암 괴물에게 다가갔다.

용암 괴물에 손을 대는 순간 용암 괴물의 특성이 머리에 떠올랐다.

[마코니안 광석]
등급 : B
강도 : 2
순도 : 75%
의지를 담을 수 있는 광석.

악마의 석상과 마코니 골렘을 만드는 데 사용되는 재료다.

악마의 석상이 뭔지는 모르겠지만 마코니 골렘이 지금 눈앞에 있는 몬스터라는 건 예상할 수 있었다.

"형님, 피하세요!"

너무 찐하게 만졌던 걸까?

마코니 골렘 하나가 나에게 쏟아져 내려왔다.

급히 문양을 활성화시켜 방어했지만 뼈가 부러지는 것은 각오해야 했다.

쾅!

이래서 공돌이는 안 된다니까.

내가 언젠가는 호기심 때문에 큰일 치를 줄 알았어.

그런데 팔이 부러지는 고통이 이렇게 약했나?

기형적으로 꺾인 팔 대신 털이 짐승처럼 난 팔이 보였다.

유전적으로 털이 많지 않은 집안이었기에 내 팔에는 털이 없었다.

"형님, 조심하셔야죠."

짐승 같은 팔의 주인은 브로안이었다. 브로안은 마코니 골렘이 공격해 오는 순간 빠르게 움직여 방패로 내 몸을 가려준 것이었다.

메인 탱커 하나는 잘 뒀다니까.

마코니 골렘은 다시 제자리로 돌아갔고, 우리도 공작과 아드몬드가 기다리고 있는 장소로 돌아갔다.

"방법을 찾았습니다. 저 골렘의 몸을 이루고 있는 금속을 변형시키면 해결될 것 같습니다."

나는 이미 수백 가지의 금속을 다루어봤고, 강화시키는 방법뿐만 아니라 약화시키는 방법도 알아냈다. 그러니 마코니안 광석 또한 충분히 변형시킬 자신이 있었다.

"마코니안 광석으로 골렘을 만들면, 명령을 주입시킬 수 있습니다. 지금 저들에게 내려진 명령은 길을 막아서 아무도 출입하지 못하게 하는 것 같고요. 제가 명령을 틀어보겠습니다."

광석을 분해하는 작업을 통하면 명령을 새로 입력할 수 있을 것이다.

시도해 본 적은 없었지만, 자신이 있었다.

내 몸에 새겨진 문양을 활성화시키는 방법과 비슷했기 때문이다.

저 단단한 광석이 스마트한 능력을 가지고 있다니. 형상 기억합금 상위 호환 버전이라고 보면 되겠는데.

마코니안 광석을 이용하면 좋은 아이템을 만들 수 있겠어.

쏘고 나면 돌아오는 화살이라든가, 투석기에도 활용을 하면 대박이겠는데.

나는 마코니 골렘이 움직이지 않을 정도로 살며시 손을 가져다 대었다.

외형에 비해 폭신한 느낌까지 드는 광석이었다.

그리고 천천히 광석과 동기화를 시작했다.

광석의 입자가 내 머릿속에서 떠다녔다.

입자들은 내 의지에 따라 어지럽게 움직였다. 입자들은 새로운 형태로 변형되었다가 다시 제 모습을 찾았다.

입자 속에서는 금속의 구조가 아닌 에너지가 느껴졌다.

내 가슴에 있는 고리에서 풍겨 나오는 그런 에너지였다.

이 기운을 밀어내고 내 기운을 밀어 넣으면 되겠는데.

벽돌을 이어 붙이는 시멘트처럼 기운들은 금속 입자 사이를 강제로 붙잡고 있었다.

입자들은 잡아당기는 것을 좋아하는지 기운을 붙잡고 있었다.

입자들이 놀라지 않게 천천히 밀어내자.

마코니안 광석의 입자들이 기운을 잡아끄는 힘은 조금씩 약해지고 있었다.

분해되었다가 다시 복구되는 과정에서 조금씩이지만 기운을 놓고 있었다.

그 틈을 노려 고리에서 나오는 내 기운을 밀어 넣었다.

의지를 키우는 수련이 완벽하지는 않았지만 혼란을 틈타 기운을 밀어낼 정도로는 성장했기 때문에 조금씩 마코니 골렘에 내 의지를 불어넣는 데 성공했다.

처음이 어렵지, 두 번째는 쉬웠다.

그리고 마지막 골렘에 의지를 불어넣는 데는 5분도 걸리지 않았다.

"끝났습니다. 이제 오셔도 됩니다."

내가 작업을 하는 데 방해가 되지 않게 멀찍이 물러나 있던 동료들이 다가왔다.

"형님! 이제 이놈들이 그냥 돌덩이가 된 겁니까?"

조심스럽게 발로 마코니 골렘을 툭툭 치고 있는 브로안의 머리 위는 방패로 가려져 있었다.

"그냥 돌덩이는 아니지."

마코니 골렘이 수행하던 명령을 조금 수정했다.

웬만한 의지로는 마코니 골렘을 지배하고 있는 명령을 밀어낼 수가 없었다.

내가 낼 수 있는 가장 강한 의지를 담아야 했고, 그 의지는 나의 안전이었다.

"마코니 골렘이 이제 나를 보호하기 위해 움직일 거야. 나를 공격하는 척해 볼래?"

브로안은 방패를 나에게 휘두르려고 했다. 정확히 코앞에서 멈추게 힘 조절을 하는 것이 느껴졌지만, 골렘들은 그런 브로안의 의지를 알 리가 없었다.

쾅! 콰광!

"그만!"

브로안을 향해 날아가는 골렘들에게 정지 명령을 내렸지만 소용이 없었다.

처음 부여한 명령을 수행하도록 설정이 되어 있는 골렘이었기에 브로안이 나에게서 멀어질 때까지 몸을 날렸다.

"형님! 죽을 뻔했다고요!"

"정지 명령은 들을 줄 알았지……."

브로안은 한동안 계속해서 나를 째려봤고, 내 뒤통수를 노리고 손을 몇 번이나 들어 올렸다가 내리는 것이 느껴졌다.

"이제 그만 가도록 하지. 일반 몬스터를 상대하는 데 그렇게 많은 체력을 소모하지 않았으니 바로 보스 몬스터를 사냥하는 게 좋겠군."

용암이 흐르는 강을 따라 내려가니 데빌 도어가 나타났다.

그리고 데빌 도어를 지키는 몬스터도 모습을 드러냈다.

"저건 형님의 뒤를 졸졸 쫓아다니는 골렘의 사촌 정도로 보이는데요."

보스 몬스터는 마코니 골렘처럼 돌로 만들어져 있긴 했지만 생김새는 완전히 달랐다.

돌로 조각했다고는 믿기지 않을 정도로 날렵한 몸매를 가지고 있었다.

우리가 상상하는 악마의 모습과 흡사한 형태였다.

턱까지 내려오는 송곳니와 손가락보다 긴 손톱, 그리고 발톱까지.

악마를 모티브로 만든 석상이었다.

저게 악마의 석상인가.

마코니안 광석을 감정하며 알게 된 악마의 석상이 저 몬스터인 것 같았다.

그렇다면 저 몬스터에도 내 의지를 심을 수 있지 않을까?

"형님의 능력으로 가능할까요?"

전투를 좋아하는 브로안이었지만 쉬운 길을 돌아갈 정도로 멍청한 놈은 아니어서 내 의사를 물어보았다.

"나도 모르겠어. 일단 의지를 심으려면 속박을 시켜야 되는데, 가능하겠어?"

"일단 해봐야죠. 속박이 어려우면 부숴야죠."

악마의 석상은 돌로 만들어진 몬스터였기에 검은 큰 위력을 발휘하지 못할 것이다.

브로안의 힘이 중요했다.

카인트 공작과 아드몬드는 공격 준비를 하고 있긴 했지만 검으로 돌을 쳐야 하는 상황이 불만스러워 보였다.

그들의 마음의 소리가 들려왔다.

'오러만 있었다면 저런 돌덩이 따위는 한 방에 날려버릴 수 있는데!'

아쉽겠지만 이제는 아이템의 능력으로 몬스터를 상대해야 한다.

그들이 착용한 무기는 기본 능력치가 뛰어난 무기였기에 어느 정도 공방은 가능할 것이다.

"저거 날아다니는데요! 돌로 된 몸을 가지고 있으면서 날기까지 하다니. 저거 완전 사기예요."

도구를 사용하지 않으면 인간은 날 수가 없다.

그래도 천장이 그렇게 높지 않았기에 점프를 하면 무기의 사정권 안에 들어오기는 한다.

하지만 하늘을 나는 상대와의 전투는 처음이라 진형을 제대로 짜지도 못하고 있었다.

"일단 제가 시선을 끌겠습니다."

브로안은 한 발 나아갔다.

악마의 석상은 브로안의 방패에 관심이 생겼는지 발톱을 세우고 방패를 향해 빠르게 날아갔다.

"이건 너 따위가 사용할 수 있는 방패가 아니라고! 손톱이 그렇게 길어서 방패를 쥘 수나 있겠어? 일단 손톱부터 자르고 오라고!"

푹!

석상의 공격에 브로안의 방패에 흠집이 생겼다.

많은 몬스터를 상대해 왔지만 브로안의 방패에 흠집이 생긴 적은 처음이었다.

깊지는 않지만 선명하게 새겨진 3개의 선은 석상의 발톱의 모습과 똑같았다.

"형님! 빨리 방법을 찾아주세요. 이대로는 얼마 버티지 못합니다!"

브로안이 힘들어했고, 그를 돕기 위해 카인트 공작과 아드몬드가 움직였다.

석상은 브로안 특유의 몬스터 친화 능력에 의해 부자에게 관심을 주지 않고 있었고, 덕분에 우리는 공격할 틈을 엿볼 수 있었다.

하지만 큰 효과는 없었다.

아드몬드가 발을 강하게 굴러 체중을 실은 공격을 해봤지만 석상의 몸에 작은 흠집도 만들어내지 못했고, 오히려 반발력에 의해 팔뚝까지 저려왔다.

레드 식스와 영혼의 고리를 발동시켰다.

능력치가 급상승했기에 브로안은 자세를 바로 할 수 있었고, 석상의 공격을 막기보다는 피하는 방향으로 전략을 수정했다.

하지만 공격력과 방어력이 뛰어날 뿐만 아니라 속도까지 빠른 석상이었다.

메인 탱커가 무너지자 조합은 한순간에 무너졌다.

딜러진은 석상을 공격하기는커녕 석상의 공격을 피하기에 급급했다.

이대로는 힘들었다.

"골렘들아! 석상을 공격해!"

역시 새로운 명령은 듣지 않는 골렘이었다.

내 뒤를 지키기만 하는 골렘을 움직이게 하기 위해서는 내가 공격을 받아야 했다.

온몸의 문양을 최대로 발동시켰다. 문양이 활성화되자 몸이 가벼워졌다.

한국으로 돌아가면 격투 대회를 가볍게 우승할 정도의 능력치였지만 석상에 흠집을 내기에는 부족했다.

"형님, 위험합니다!"

내가 자신의 앞으로 나아가자 나를 보호하기 위해 빠르게 방패를 들고 뛰어오는 브로안이었다. 아직은 자신의 역할을 잊지 않고 있는 브로안이 대견했지만 지금은 그가 나를 보호해서는 안 된다.

석상을 이길 확률을 높이기 위해서는 골렘의 도움이 필요했다.

"기다려! 내가 알아서 몸을 뺄게."

석상은 자신의 앞에서 얼쩡거리는 내가 마음에 들지 않은지 날개를 퍼덕거렸고, 순식간에 거리를 좁혀왔다.

날카로운 발톱이 나를 긴장시켰다.

브로안은 저런 공격을 버텨왔구나. 저걸 어떻게 견뎌.

브로안이 새삼 대단해 보였다.

나는 브로안처럼 방어력이 뛰어나지 않아 석상의 발톱에 스치기라도 한다면 치명상을 입을지도 몰랐다.

하지만 도망칠 수는 없었다.

이대로는 전멸이 기정사실이었기에 변수를 만들어야 했다.

골렘이 얼마나 큰 변수가 될지는 모르겠지만, 일단 할 수 있는 건 전부 해야 했다.

석상의 발톱이 내 머리 지척에 다가오자 드디어 골렘이 움직이기 시작했다.

동시에 석상을 향해 날아가는 골렘의 공격에 석상은 당황한 듯 방향을 돌렸지만 골렘은 유도 미사일처럼 석상을 쫓아갔다.

진형을 재정비할 필요가 있었다. 이대로 전투를 지속하는 것은 석상의 발톱에 목을 들이미는 행동이다.

"다들 후퇴하세요. 골렘에게 시선이 팔려 있는 동안 몸을 피해야 합니다."

몬스터를 보면 눈이 돌아가는 브로안마저 지금 상태로는 석상을 이기기 힘들다는 것을 느끼고 있었는지 아무런 대꾸도 하지 않고 몸을 뒤로 뺐다.

우리는 최대한 데빌 도어에서 먼 장소로 이동했고, 다행히 석상은 우리를 쫓아오지 않았다. 석상은 데빌 도어를 지키는 임무를 부여받았는지 자신의 영역에서 멀어지자 우리에게 관심을 가지지 않았다.

"이대로는 석상을 이기기 힘들어 보이는군. 방법을 생각해야 되네."

모두의 시선이 나에게 집중되었다.

물론 나도 방법을 찾고 싶었다. 내가 이 파티에 포함된 이유이기도 했다.

"하늘을 나는 몬스터를 처음 상대해서 힘든 거예요. 다시 전투를 하면 이렇게 당하지는 않을 것 같은데요. 형님 생각은 어때요?"

고민에 고민을 하고 있는 동안 브로안은 다시 대책 없이 전투를 치르기를 원했고, 아무도 그의 말에 대꾸를 해주지 않았다.

생각을 해야 된다. 석상의 약점은 뭐가 있을까?

현재로서는 석상의 약점을 알지 못한다. 굳이 약점을 꼽으라고 한다면 데빌 도어 근처를 벗어나지 못한다는 정도다.

그러면 강점부터 생각해 보자.

석상의 강점은 강한 방어력과 공격력, 그리고 하늘을 나는 날개를 가지고 있는 것이다.

그중 제일 까다로운 부분은 하늘을 나는 능력이지.

그런 석상과 대등하게 싸우기 위해서는 우리가 하늘을 날든지, 아니면 석상이 땅으로 내려오게 해야 한다.

우리가 하늘을 날 수 있을까? 불가능하다.

그러면 석상이 땅으로 내려오게 해야 한다.

답이 나왔다.

"방법이 있습니다. 브로안, 너는 나를 좀 도와줘야겠다."

보관 상자에는 온갖 무기들이 들어 있었고, 실험용으로 만든 미니 투석기 종류도 있었다.

자신의 영역에서 벗어나지 못하는 석상의 약점을 이용하면 충분히 공략이 가능했다.

나는 브로안의 도움을 받아 투석기를 조립했다.

투석기 조립 작업은 병사 10명 이상이 붙어야 가능했지만 브로안은 인간이라기보다는 몬스터에 가까운 놈이라 2명이서 충분히 투석기 조립을 마칠 수 있었다.

"투석기에 아크타르 폭탄을 던질 생각이세요?"

"아크타르가 남아도는 줄 아냐. 그냥 주변에 있는 돌이나 흙을 퍼 담아서 발사해."

우리가 하늘을 날지 못한다면 천장까지 올라가서 전투를 벌이면 된다.

미니 투석기는 투석기의 성능을 알기 위해 실험용으로 제작해 둔 것이었고, 지금의 상황에서는 가뭄의 단비 같은 무기였다.

하지만 좁은 지형이라고는 하지만 돌을 쏘아내 공간을 채우는 것은 오랜 시간이 걸렸다.

충분한 식량도 있었고, 천막도 챙겨 왔기에 장기전이 가능했다.

카인트 공작과 아드몬드는 차를 마시며 여유를 즐기기까지 했다.

*　　　*　　　*

악마의 석상이 있는 공간을 돌로 채우는 데 일주일의 시간이 걸렸다.

일주일도 짧게 걸린 편이었다.

"브로안이 고생했구나. 왕궁으로 돌아가면 네가 좋아하는 음식을 모두 제공해 주마."

카인트 공작은 한 일에 비해 작은 보상을 약속했지만 그것만으로도 행복해하는 브로안이었다. 다른 사람이 브로안과 같은 힘을 가지고 있으면 욕심을 주체하지 못했을 것이다.

"그럼 새끼 돼지 통구이도 먹을 수 있는 겁니까?"

"물론이다. 소도 한 마리 통째로 구워서 주마."

"배가 터질 때까지 먹을 수 있게 해줄 테니까 이제 전투에 집중하자."

대충 집어 던진 바위들로 공간을 막았기에 땅은 고르지 않았지만 그래도 석상이 빠르게 하늘을 나는 것을 막을 수는 있었다.

이제는 동등한 입장에서 전투를 벌일 수 있는 것이다.

"그런데 형님, 골렘들이 땅에 파묻힌 것 같은데요."

"원래 내 것도 아니었는데. 괜찮아."

조금 아쉽기는 했지만 석상의 공간을 뺏는 것이 더 중요했다.

"자! 이제 가자꾸나."

브로안은 공작의 말을 듣고 언제나처럼 선두에 서 석상이 있는 곳으로 걸어갔다.

전투를 벌이기도 전에 진즉 레드 식스와 영혼의 고리를 발동시켜 놓았다.

전투 준비는 끝이 났다.

이렇게 준비를 마쳤는데도 이기지 못한다면 답이 없다.

울퉁불퉁한 바위를 기어 올라갔고, 거기서는 날갯짓을 제대로 하지 못해 불만을 가득 안고 있는 악마의 석상이 우리를 기다리고 있었다.

입이 막혀 있는지 소리를 내지 못하고 있었지만, 아마 쌍욕을 속으로 내뱉고 있을 것이다.

"브로안, 가라!"

"제가 무슨 사냥개도 아니고."

석상에 손짓을 하며 가라고 지시를 내린 게 마음에 들지 않았나?

나는 나름 사기를 상승시켜 주려고 한 행동인데.

흠집을 완벽히 수리해 새것처럼 빛나는 방패를 들고 브로안은 석상으로 다가갔다.

브로안이 석상을 보고 싱긋 웃자, 석상은 남자의 관심을 받는 것이 역겨운지 날개를 미친 듯이 퍼덕거리며 브로안에게 달려갔다.

저런 미소를 받고 화가 나지 않으면 정상이 아니지.

날개를 퍼덕거리고는 있었지만 하늘을 날 수 있는 공간은 없었기에 두 발을 이용해 뛰어오는 석상이었는데 속도는 빠르지 않았다.

날개를 이용해 이동하는 것이 익숙한 석상이었기에 달리기는 미숙했다.

"발톱 좀 자르지? 그러니 달리기를 못하지. 하긴 손톱도 그렇게 길어서 발톱을 자를 수가 없었겠지. 내가 도와주마. 내가 우리 형님 발톱도 잘라준 적이 없는데 특별히 네놈의 발톱을 손수 잘라주마!"

브로안의 도발에 악마의 석상은 좀 더 빠르게 발을 굴렀고, 드디어 석상의 손톱이 브로안의 방패를 노리고 날을 세웠다.

쾅!

석상은 자신의 손톱을 곡괭이처럼 사용하는 공격을 했다.

하지만 하늘을 날며 체중을 실은 발톱 공격보다는 약했다.

그 증거로 브로안의 방패에 흠집이 생기지 않았다.

"밥 안 먹었어? 아무리 바빠도 밥은 먹고 살아야지. 밥 먹을 때까지 기다려 줄까? 힘을 이렇게 못 쓰면 내가 미안해지잖아."

전혀 미안해하지 않는 표정으로 말하는 브로안이었다. 오히려 입이 귀에 걸려 있었다.

만만하게 느껴지는 것이었다.

피하기에도 급급했던 이전의 전투에 비해 방어하는 데 용이했다. 하지만 방어가 용이하다고 해서 공격이 통하는 것은 아니었다.

카인트 공작이 은신 망토를 이용해 석상의 지척에 접근해 검을 찔러 넣었지만 석상은 브로안이 자신에게 지어준 미소를 카인트 공작에게 그대로 돌려줬다.

"죽여버린다! 죽여버릴 거야!"

카인트 공작이 흥분하는 모습은 오랜만에 봤다.

역시 브로안의 미소를 보고 흥분하지 않으면 정상이 아니라니까.

악마의 석상은 몰랐겠지만 도발 능력을 배운 것이나 다름없었다.

브로안이 석상의 손발을 묶고 카인트 공작과 아드몬드가 석상의 빈 곳을 노리며 공격했다.

우리가 원하던 방식의 전투였다.

방어조와 공격조가 제 역할을 할 수 있는 환경. 우리가 지금까지 악마의 탑을 공략해 온 그 방법이었다.

하지만 방어에 비해 공격력이 너무 미비했다.

이대로 전투가 지속되면 먼저 지치는 쪽은 우리가 될 게 뻔했다.

석상의 체력은 무한에 가까웠으니.

한 손이라도 거들어야 했다.

살금살금 기어가 석상의 뒤를 점했다. 가장 안전한 장소가 석상의 뒤편이었고, 가장 약한 내가 공격해 들어가기에 안성맞춤인 장소였다.

"저도 도와드리겠습니다!"

가장 강한 강도를 가지고 있는 무기인 드래곤의 지팡이를 이용해 석상의 날개를 후려갈겼다. 문양의 힘이 더해져 메이저 리그 4번 타자보다 강하게 지팡이를 휘둘렀지만 아쉽게도 석상의 날개는 야구공이 아니었다.

스윙을 하면 할수록 손에 힘이 풀렸다.

작용 반작용이 오늘따라 밉게 느껴졌다.

석상의 사방을 막고 공격을 가한 지 20분이 흘렀다.

이제 슬슬 체력이 떨어지고 있었다.

그것을 느꼈던 것일까? 석상은 브로안의 방패를 거칠게 밀어내고는 그 힘을 이용해 방향을 틀었다.

가장 약한 상대를 본능적으로 찾은 것이다.

석상의 움직임에 날개를 치려고 했던 지팡이는 석상의 얼굴을 그대로 후려갈겼다.

석상은 내 공격에 입을 짝 열었다가 닫았다.

브로안이 음식을 먹기 전에 하는 행동과 같았다.

"진! 피하거라."

공작은 석상의 시선을 끌기 위해 강하게 검을 석상의 옆구리에 찔러 넣었지만 아무런 효과가 없었다.

석상의 손톱이 나를 노리고 날아오고 있었다. 그 순간 내 앞을 누군가가 막아섰다.

아드몬드였다.
아드몬드는 석상의 공격을 대신 받아주고 있었다.
하지만 완벽히 방어를 하지는 못해 그의 어깨에서 피가 흐르고 있었다.
신음 소리를 내는 아드몬드를 거칠게 밀어낸 석상은 다시 나를 노리고 공격해 들어왔다.
이 동작은 눈 한 번 깜짝할 사이에 벌어졌고, 이제는 완전히 무방비 상태가 되어버렸다.
지팡이를 꽉 쥐고 최대한 방어 자세를 취했지만, 눈이 저절로 감겨왔다.
쑤욱!
쾅!
석상이 있던 땅이 갑자기 꺼졌고, 그 안에서 골렘들이 튀어나왔다.
땅 밑에 묻혀 있던 골렘이 석상을 향해 달려들고 있는 것이었다.
갑자기 꺼진 땅에 중심을 잃은 석상은 날개를 이용해 빠져나오려고 했지만 석상의 몸을 내리찍는 골렘에 의해 땅속으로 묻혀 버렸다.
"이거 어떻게 된 일이죠?"
브로안은 허탈한 표정으로 석상을 바라봤다.
나도 당황스럽기는 매한가지였다.
이럴 때가 아니다.

골렘이 석상의 몸을 잡고 있을 때 석상을 처리해야 했다.

골렘처럼 석상에도 기운이 심어져 있을 것이고, 그 기운을 내 에너지로 대체해야 했다.

석상의 머리에 손을 가져다 대었고, 석상을 이루고 있는 입자들이 춤을 췄다.

역시 기운이 심어져 있었군.

입자들을 품고 있는 보자기를 찢어버리고 새로운 보자기를 제공해 줘야 했다.

내 가슴에 있는 고리가 내가 뿜을 수 있는 최대한의 에너지를 쏟아부었다.

하지만 쉬운 작업이 아니었다.

내 에너지보다 강한 기운이 입자를 품고 있어 밀어낼 수가 없었다.

계속해서 입자들을 분해하고 조립했지만 입자를 품고 있는 기운의 결속력을 약하게 만들지 못했다.

그렇다면 방향을 우회해야 한다.

내 에너지로 대처하기보다는 융합시켜 버려야 한다.

석상이 완전히 움직이지 못하도록.

고리의 에너지를 석상 전체에 퍼뜨렸다.

그렇게 한참 에너지를 불어넣고 있을 때 이상한 것이 하나 느껴졌다.

석상의 몸 안에 강한 기운을 담고 있는 무언가가 있는 것이다.

금속은 아니었다.

금속이었다면 내가 파고들 수 있었겠지만, 그러지 못했다.

기운이 뭉쳐져 만들어진 구슬 같았다.

저 구슬에서 나오는 힘이 내가 악마의 석상을 지배하지 못하게 하고 있는 것이었다.

당황한 심정을 제대로 추스르지도 못하고 있을 때, 품속에 숨어 있던 네르가 밖으로 나왔다.

그러고는 입에서 강한 불을 쏟아냈다.

불은 뜨겁지 않았다. 불의 모습을 하고 있는 빛이었다.

빛이 석상을 관통했고, 석상 안에 있던 기운의 덩어리가 서서히 밖으로 빠져나왔다.

밖으로 나온 기운이 왠지 모르게 익숙했다.

내가 느껴본 적이 있는 에너지인가?

기운 덩어리를 좀 더 자세히 보려고 할 때 네르는 단숨에 기운 덩어리를 삼켜 버렸다.

"네르야! 그걸 먹어버리면 어떻게 해."

네르는 기운 덩어리가 매우 맛있었던지 만족스러운 표정을 하고는 다시 품속으로 파고들었다.

Chapter 3

배부른 돼지들이란

5층을 공략하고 왕국으로 돌아온 순간 모두가 휴식을 원했다.

브로안은 식탁의 빈 구석이 보이지 않을 정도로 쌓인 음식을 매일같이 먹어치웠고, 카인트 공작마저 한동안 방을 나오지 않을 정도였다.

하지만 나는 그러지 못했다.

"쉬면 몸이 삭는다. 내가 죽기 전에 퍼스트 재능이 꽃피는 것을 보고 싶다. 빨리 수련장으로 오거라."

가축처럼 수련장으로 끌려갔다.

수련장에는 기사들이 이미 나와 수련을 하고 있었다.

"어! 아드몬드 기사단장도 수련 중이네."

"너보다 강한 기사단장도 수련을 하고 있는데, 네가 쉬는 게 말이 된다고 생각하냐?"

"포지션이 다릅니다. 기사단장은 공격을 담당하고 저는 머리를 담당합니다. 제가 충분히 휴식을 취해야 머리를 쓸 수 있지 않겠습니까?"

"처음에는 이렇게 능글맞지 않았는데. 내가 너의 가식에 깜빡 속았구나. 어쨌든 바로 수련을 시작한다."

"그런데 육체 수련은 이제 끝이 났다고 하지 않았습니까?"

"고리 강화 훈련을 하기 전의 육체 수련이 끝났다고 했지, 다음 단계 육체 수련이 없다고는 하지 않았다. 고리가 강해진 만큼 네놈의 몸도 더 강하게 만들어야 된다. 육체가 지탱되지 않으면 고리의 성장은 멈춘다. 그러니 토 달지 말고 열심히 하거라."

지금까지 해왔던 수련은 애들 장난 수준이었다.

돌덩이를 달고 수련장을 뛰는 것으로 시작해서, 육체의 한계를 느끼게 하는 수련의 연속이었다. 공동묘지가 그리울 거라는 스승의 말이 이전에는 이해가 되지 않았지만 지금은 절실히 동감했다.

조금 무섭고 말지, 육체 수련은 정말 나랑 맞지 않았다.

점심시간쯤 일어나 육체 수련을 하고 야간에는 공동묘지로 가 고리 강화 수련을 했다.

하루에 잠을 4시간 이상 잔 날이 없었다. 그렇게 바쁘게 시간을 보냈다.

내가 바쁜 만큼 세계정세도 바쁘게 돌아갔다.

경매장을 통해 거의 독점적인 수익을 올리는 브루니스 왕국을 못마땅하게 여기는 국가들이 여럿 나왔고, 경매장을 폐쇄하라는 터무니없는 요청을 하는 국가도 있었다.

황금 알을 낳는 거위를 죽일 이유는 브루니스 왕국에는 없었다.

하지만 지금이 전시 상황이란 것을 잊은 국가들이 생겨나기 시작했다.

직접적으로 전쟁을 선포하는 국가는 없었지만 간접적으로 불만을 표했다.

브루니스 왕국을 오가는 상단을 공격하는 집단이 생겨났고, 그들이 누구의 명령을 듣고 움직이는지는 알아보지 않아도 알 수 있다.

정기 왕실 회의.

"어제도 왕국을 방문하는 상단이 습격을 당했다고 합니다. 경매장을 통해 물건을 구해도 빈번히 습격을 당해 빼앗겨 버리니. 우리 왕국의 입장이 난처하게 되었습니다."

대법관의 자리에 있는 가리니안 백작이 회의 시작을 알렸다.

왕실파의 한 축을 이루고 있는 가리니안 백작의 말에는 무게가 있었다.

하지만 남부 귀족들은 그 무게를 피해 가려고 했다.

자신들의 상단도 피해가 있었지만 경매장을 카인트 공작이 운영하는 것에 불만을 품고 있었기 때문이다.

자신들이 피해를 입는 것보다 경매장에 흠집이 나는 것이 더욱 이득이라고 생각하는 남부 귀족들이었다.

저런 귀족들이 왕국의 거대 파벌이라니. 다른 나라의 절반도 되지 않는 땅덩어리를 가지고 있는 왕국에서 서로 협력을 하지는 못할 망정 견제나 하고 있으니 나라가 발전할 수가 있나.

아다드 왕은 이번 문제를 심각하게 생각하고 있었다.

이제야 왕국 발전의 발판이 닦여가고 있는 상황에서 습격자들은 발판을 뒤집어엎으려고 하고 있으니 심각하게 받아들이는 것이 당연했다.

"어떻게 해야 좋겠습니까? 이대로 습격자들을 가만히 두면 다른 국가의 상단들이 우리 왕국을 방문하기를 꺼릴 겁니다. 그리고 우리 왕국의 상단들도 타격을 입고 있습니다."

아다드 왕은 카인트 공작을 쳐다보며 말했다.

지금 상황에서 믿을 사람은 카인트 공작뿐이었다.

"블루 웨이브 기사단을 풀어 습격자들을 상대하도록 하겠습니다. 그리고 열기구를 이용해 정찰을 하도록 하겠습니다. 습격자들이 50명 이상이 모여 다닌다고 하니 발견하는 것은 그렇게 어렵지 않을 겁니다."

악마의 탑 공략만으로도 머리 아픈 시국에 다른 국가들의 견제까지 고민해야 되다니.

습격을 할 시간에 악마의 탑을 빨리 공략할 생각을 하지 못하고 이런 짓을 벌이다니 어이가 없었다.

그들에게 철퇴를 내려줘야 할 필요가 있다.

왕국이 만만하지 않다는 것을 느끼게 해줘야 한다.

"블루 웨이브 기사단만으로는 부족할지 모릅니다. 한 번에 쓸어버려야 합니다. 다시는 그런 생각을 하지 못하게 해야 됩니다. 기사단과 병사들을 총동원해야 합니다. 그리고 습격자들의 배후를 알아내 배상을 요청해야 합니다. 습격자들만 처리한다고 해서 해결될 문제가 아닙니다."

"진 자작의 말이 무엇을 뜻하는지는 알겠지만, 지금은 전시 상황이네. 국가 간의 전쟁으로 번질 수도 있는 문제일세. 신중하게 생각해야 된다네."

"전시 상황이니 과감하게 움직여야 합니다. 무력시위도 아끼지 말아야 됩니다. 전시 상황에서 뒤가 가려우면 어떻게 집중할 수 있겠습니까. 그리고 우리 왕국의 힘을 너무 과소평가하지 마십시오. 우리 왕국의 기사와 병사들은 세계 제일입니다."

육체 능력으로 세계 제일이라고 할 수는 없었지만 가지고 있는 아이템은 세계 제일이 분명했다. 그렇게 만들기 위해 아낌없이 아이템을 풀었다.

모든 병사가 강화된 무기를 들고 있었고, 기사들은 편차는 있지만 특수 능력이 있는 아이템을 가지고 있었다.

"저희는 반대 입장입니다. 충분히 대화를 통해 풀어갈 수 있는 문제를 야만인처럼 무력을 이용해 해결하려는 이유를 모르겠습니다."

야만인?

이래서 계급이 깡패였다. 카인트 공작이 저 말을 했으면 절대 저렇게 말하지 못했을 것이다. 아직 계급이 자작밖에 되지 않았기에 없이 여기는 것이다.

전하한테 계급 좀 올려달라고 할까?

아니지, 괜히 귀찮은 일을 떠맡을지도 몰라. 그냥 욕 좀 먹고 말지.

"남부는 반대 입장이라는 뜻이지요? 그러면 우리가 알아서 처리하겠습니다. 남부의 기사와 병사들은 필요 없습니다. 북부의 기사와 병사들만으로 해결할 테니 그리 아세요."

카인트 공작은 강하게 나갔다.

남부 귀족들은 자신들에게 손해가 아니라는 결론을 내렸는지 아무런 대꾸도 하지 않았고, 암묵적으로 동의를 했다.

기회주의자의 표본을 보는 것 같았다.

"카인트 공작, 부탁하겠네. 부디 왕국의 발전을 위해 습격자들을 몰아내 주게나."

그들은 카인트 공작에게 습격자들의 처리를 맡겼고, 공작은 당연히 나에게 그 일을 떠넘겼다.

"어떤 방식으로 처리하는 것이 좋겠는가?"

왕실 회의가 끝나고 곧장 숙소로 돌아온 공작은 악마의 탑 멤버들을 모았고, 현자와 그의 제자를 불렀다.

"습격자들은 경매장에서 물건을 구입한 상단을 위주로 습격을 합니다. 분명 경매장에 참석한 사람 중에 습격자들과 끈을 가지고 있는 사람이 있습니다. 그 사람을 먼저 찾는 것이 우선이라고 생각합니다. 물론 병력을 습격자들이 활동하는 지역에 파견을 보내는 것도 동시에 이루어져야 합니다."

"경매장을 감시하는 것은 블루 웨이브 기사단을 시키도록 하지. 은신에 능한 기사들을 시키면 될 것 같군. 그리고 아드몬드, 네가 이번 원정의 선봉에 서거라."

"알겠습니다. 최대한 빠르게 소탕하도록 하겠습니다."

아드몬드는 북부의 병력을 이끌고 떠났고, 경매장에 숨어 있는 습격자들의 첩자를 찾기 위해 집중했다.

블루 웨이브 기사단의 능력이 뛰어나지만 첩자를 쉽게 찾을 수는 없었다.

그런 일은 눈칫밥을 먹고 산 사람이 제격이었다.

눈칫밥 하면 에크였다. 경매장을 거의 담당하고 있었기에 참가자의 면목을 가장 잘 알고 있는 사람이기도 했다.

"형님, 부르셨습니까?"

"경매장에서 물건을 구입한 상단이 습격을 당하고 있다는 사실을 알고 있지? 분명 경매장에 첩자가 있을 거야. 의심이 가는 사람이 있어?"

"의심이 가는 사람이요? 있긴 하지만 그 사람이 습격자들의 첩자라고는 믿기지 않는데요."

"누군데?"

"남부 파벌에 속해 있는 귀족 중 한 명인데, 물건을 구매하는 것보다 구매한 사람의 신상을 조사하는 사람이 있습니다. 하지만 남부 귀족이 습격자들의 첩자 역할을 할 이유가 있겠습니까?"

"있지. 원래 사촌이 땅을 사면 배가 아픈 법이야. 남부 귀족들은 자신들이 가지지 못한 경매장을 폐쇄시키려고 하는 거지. 왕국의 발전보다 자신들의 배를 채울 생각으로 가득 찬 돼지들이니까."

카인트 공작과 나는 경매장에 숨어 들어갔다.

에크의 말처럼 남부 귀족 중 한 명인 야르누 준남작이 이상한 행동을 했다.

경매에 꼬박꼬박 참석하면서 누가 어떤 물건을 구입했는지 수첩에 적고 있는 것이었다.

수첩에 정보를 적는다고 해서 범죄자 취급을 할 수는 없다.

향후 사업을 위해 그랬다고 발뺌을 하면 어떻게 할 수가 없는 것이다.

정보를 넘기는 장면을 급습해야 했다.

* * *

늦은 밤, 야르누 준남작은 조심히 거처에 나와 으슥한 골목으로 걸어갔다.

수행원 한 명 대동하지 않고 이동하는 그는 뭐가 그리 불안한지 주변을 두리번거렸다.

아무도 없는 것을 확인하고서야 막힌 골목의 벽면을 두드렸다.

"문을 열어주시오."

막힌 골목이라고 생각되었던 곳에 문이 생겨났다.

교묘하게 가려진 문이었다.

밖에서는 열지 못하고 안에서만 열 수 있는 문으로 야르누 준남작이 들어갔고, 바람 하나가 그의 뒤를 따라 들어갔다.

"미행이 붙지는 않았겠지요?"

"당연하죠. 항상 조심히 움직이고 있습니다. 여기 이번 경매를 통해 물건을 구입한 상단의 명단입니다. 가장 고가의 물건은 루안 상단이 구입했네요."

야르누 준남작이 정보를 건네주자 하나의 주머니가 그의 손에 올려졌다.

"오늘은 특별히 두둑이 넣었습니다. 저번 일이 매우 성공적이라 성과금이 나왔습니다. 다음도 잘 부탁드립니다."

주머니의 무게만큼 입꼬리가 올라가는 준남작이었다.

하지만 그의 미소는 계속될 수 없었다.

"쥐새끼들이 여기에 숨어 있었군. 나라를 팔아먹는 간 큰 놈들이 어디에 있는지 궁금했는데. 이런 곳에 있었군."

"누구냐!"

허공에서 들려오는 목소리에 정신을 차리지 못하는 준남작이었다.

"누구긴, 카인트 공작이다."

아무도 없던 허공에 서서히 사람의 모습이 드러났고, 악귀의 표정을 하고 있는 카인트 공작이 나타났다.

은신의 망토를 이용해 준남작의 뒤를 좇은 공작이었다.

"그래, 이런 일을 하고 살림살이 좀 좋아졌나? 남부 놈들이 돈에 미쳐 있다고는 알고 있었지만 나라까지 팔아먹는 줄은 몰랐군. 아니면 자네의 독단적인 행동인가?"

준남작은 눈물이 핑 돌았다.

한순간의 욕심의 말로가 눈에 선했다.

카인트 공작이 자신을 살려줄 가능성은 없었다. 지금 무슨 핑계를 댄다고 하더라도 공작의 검이 자신의 목을 자를 것이다.

그가 할 수 있는 것은 애원하는 것뿐이었다.

"죄송합니다. 살려만 주십시오. 다시는 절대 이런 일을 하지 않겠습니다. 제발 살려주세요."

목숨이 아까운 건 알고 있는 준남작이었다.

"너는 습격자 중 한 명이겠군."

카인트 공작의 손에 잡혀 있는 남자는 반항 한번 해보지 못하고 제압당했다.

검을 뽑아 들려고 했던 그의 손은 바닥을 피로 적시고 있었다.

"습격자라니, 무슨 말씀이신지 모르겠습니다. 저는 정보 상인일 뿐입니다. 습격자들과는 아무런 연관이 없습니다."

"그래, 다들 처음에는 그렇게 발뺌을 하지. 하지만 너 같은 놈들의 입을 열게 하는 방법은 어렵지 않지. 나는 입을 열게 하는 전문가들을 많이 보유하고 있거든."

공작은 굳게 닫혀 있는 문을 두드렸다.

쾅!

신호를 받고 브로안과 블루 웨이브 기사단 일부가 문을 부수고 들어왔다.

2명의 첩자를 그들에게 인수한 공작은 다음 단계를 수행하기 위해 움직였다.

끈을 찾았으니 이제는 끈을 따라 올라가야 할 차례였다.

"오늘 밤이 가기 전에 저놈들이 알고 있는 정보 모두를 알아내도록."

"알겠습니다, 공작님. 이런 일은 제가 전문입니다."

블루 웨이브 기사단의 일원이 아닌 사람이 자신감 넘치게 말했다.

이번 일을 위해 특별히 초빙한 사람이었다.

블루 웨이브 기사단원들은 그를 좋지 않은 시선으로 바라봤다.

수련을 하지 않아 두꺼비처럼 튀어나온 배와 입에서 악취를 풍기는 사람을 좋아할 수는 없었다. 하지만 그의 능력은 들어 알고 있었다.

왕실 제일의 고문 전문가.

고문 자체를 즐기는 변태였다. 그는 어떻게 하면 사람에게 더 고통을 줄지 고민을 하는 사람이었다.

"즐기지 마라. 정보를 알아내는 데 집중해라. 이번 일만 잘 끝나면 네가 평생 먹고살 만한 금액을 보상해 주겠다."

"알겠습니다. 그러면 기사님들은 자리를 비켜주십시오. 저는 혼자 작업할 때 집중을 잘하는 편이라서요. 흐흐흐."

그의 웃음소리에 준남작은 울음을 터뜨렸다.

"제가 알고 있는 모든 것을 알려드리겠습니다. 제발 여기서 빼내주십시오."

"저런 말을 하는 사람이 진실을 얘기한 적이 없습니다. 저 사람이 하는 말은 전부 거짓입니다. 제가 한 치의 거짓도 섞이지 않은 진실을 알아내겠습니다."

"제발! 제발 여기서 내보내 주십시오!"

준남작의 찢어지는 아우성은 기사들의 발걸음을 붙잡지 못했다.

"연결책을 찾았습니다. 현재 연결책을 회유하고 있으며 조만간 끝이 날 것 같습니다."

첩자의 입은 한 시간도 되지 않아 열렸다.

물론 한 시간 만에 첩자들의 몸이 피범벅이 되어버리긴 했지만 그들이 알고 있는 정보 모두를 얻을 수 있었다. 확실히 기술자는 기술자였다. 비싼 돈값을 했다.

"연결책을 통해 습격자 무리의 리더를 사로잡아야 합니다. 습격자 무리의 배후를 알기 위해서는 습격자 리더의 도움이 필요합니다."

습격자 무리를 소탕하는 것은 어렵지 않다. 세계 최강의 무력을 가지고 있다고 해도 블루 웨이브 기사단과 북부의 병사들이라면 짧은 시간에 습격자 무리를 처리할 수 있다. 하지만 그렇게 끝내고 싶진 않았다.

이런 일을 저지른 국가에게 정당한 배상을 요구해야 했다.

진상 짓을 찐하게 해줘야지 잘못 건드렸다는 것을 느낄 것이다.

연결책은 습격자 무리를 향해 움직였다.

그를 회유하기 위해 가시 박힌 채찍과 마차 하나를 채울 정도의 당근을 제시했다.

감옥 안에서 평생 당근을 먹어야 될 일이 생길지도 모르지만.

자연스럽게 습격자 무리에 합류한 연결책의 뒤에는 카인트 공작이 귀신처럼 따라붙었다.

"루안 상단이 가장 고가의 경매품을 낙찰받았습니다. 루안 상단은 내일 브루니스 왕국을 떠난다고 합니다."

"그렇군. 수고가 많았다. 병사들에게 오늘은 휴식을 취하라고 전해라. 내일 작업을 열심히 하려면 휴식이 필요하니. 다들 나가 보거라."

사람들마다 시간을 보내는 방식은 달랐다. 어떤 사람은 여럿이 모여 대화를 하며 시간을 보내는 것을 좋아했고, 혼자가 편한 사람도 있었다.

그리고 습격자 무리의 리더는 후자였다.

혼자 있는 것을 좋아하는 그의 성격이 자신에게 화가 되어 돌아올 줄은 그도 예상하지 못했을 것이다.

리더는 이상한 기운을 느꼈다.

눈에는 아무것도 보이지 않았지만 등골이 서늘했고, 소름이 돋았다.

"움직이면 바로 목을 그어버리겠다."

언제부터 자신의 목에 검이 대어져 있었단 말인가.

서슬 퍼런 검의 감촉 때문에 소름이 돋았다.

"누구십니까?"

"너희 때문에 피해를 입은 사람이지. 네가 죄가 없다고는 말하지 못하겠지."

리더는 조심스럽게 품에 손을 집어넣으려고 했다. 품속에는 자신의 생명을 몇 번이나 구해준 독이 묻은 단검이 들어 있었고, 이 상황을 역전시키려면 그 단검이 필요했다.

퍽!

"움직이지 않는 게 좋을 거야. 자네의 품 안에 어떤 무기가 들어 있는지는 모르겠지만 내 검이 훨씬 빠르니까."

리더의 손목이 비정상적인 방향으로 꺾여 버렸다.

오랜만에 사람을 상대로 힘을 쓴 공작은 힘 조절을 실패하고 말았다.

'몬스터만 상대하다 보니 사람의 방어력을 생각하지 못했군.'

하지만 카인트 공작이 힘 조절에 실패한 것이 좋은 쪽으로 흘러갔다.

리더는 자신의 목숨 줄을 가지고 있는 사람이 검의 주인이라는 것을 깨닫고 반항할 생각을 접었다.

"제가 살 방법이 있습니까?"

생각보다 일이 쉽게 흘러간다고 생각하는 카인트 공작이었다.

채찍과 당근을 몇 번 사용해야 회유를 할 수 있다고 생각했지만 제대로 움직이기도 전에 백기를 들어버리는 습격자 리더였다.

"배후를 말해라. 배후만 알려준다면 조용히 살 수 있도록 도와주겠다. 가족이 인질로 잡혀 있다면 구해주겠다."

"가족은 없습니다. 살려만 주신다면 다 말씀드리겠습니다."

습격자의 리더는 가족이 없었기에 이렇게 순순히 백기를 든 것이었다.

그는 눈치 하나로 지금의 자리까지 올라온 사람이었다.

그는 자신을 신임하는 사람에게는 신의가 있는 사람으로 보이기 위해 행동했지만 사실 그는 기회주의자였다. 자기에게 찾아온 기회를 놓친 적이 없었고, 지금도 자신에게 온 기회를 놓치고 싶은 생각도 없었다.

"좋군. 네놈이 평생 조용히 살 수 있도록 지원을 해주마. 어서 말해보거라."

"타나스 왕국입니다. 저는 타나스 왕국의 수석 기사였습니다. 제가 모시는 분은 보리안 백작입니다."

보리안 백작은 백작 위에 오른 지 얼마 되지 않은 귀족이었다.

서로 꺼려하는 임무를 어쩔 수 없이 맡게 된 보리안 백작은 능력에 비해 높은 자리에 앉아 있는 수석 기사 하나에게 이번 임무를 맡겼다.

능력은 떨어지지만 신의 하나만은 뛰어난 기사였기에 이런 위험한 임무를 맡겼지만 기사가 이렇게 입이 가벼운 줄 알았다면 절대 이번 임무를 맡기지 않았을 것이다. 국제적으로 망신을 당할 수 있는 일이었고, 기사단 중에서 가장 입이 무거운 사람을 고른 보리안 백작이었다.

카인트 공작은 보리안 백작이 사람 보는 눈이 없다고 생각했다.

백작위를 가지고 있는 귀족이 이렇게 사람 보는 눈이 좋지 않아서야 타나스 왕국의 미래가 밝지 않군.

"자필로 자백서를 작성해라. 자백서만 작성하면 그대로 놓아주겠다. 습격자 무리 중에 살려둬야 할 사람이 있는가?"

카인트 공작은 순순히 자신의 말을 듣는 습격자 리더에게 주는 선물로 친한 사람 하나를 같이 놓아주고자 했다.

하지만 리더는 그 선물을 마음에 들어 하지 않았다.

"친한 사람은 없습니다. 습격자 무리들은 전부 범죄자이거나 뒷골목에서 놀던 사람들입니다."

자신과는 걸어온 길이 다르다고 생각했었고, 괜히 긁어 부스럼을 만들고 싶지 않았다.

차라리 모두 죽어버리면 자신이 새 출발을 하는 데 도움이 될 거라고 생각하는 그였다.

"그렇군. 알았다. 조금 있으면 우리 병력들이 쳐들어올 것이다. 너는 여기서 잠시만 앉아 있거라."

리더는 자신의 감을 믿어 자백서까지 작성했지만 시간이 지나도 밖이 조용하자 의심이 피어올랐다.

다시 품에서 단검을 꺼내야 되는지 고민을 하는 순간 거친 함성 소리가 들려왔다.

"블루 웨이브 기사단이다. 모두 도망가!"

아드몬드가 지휘하는 블루 웨이브 기사단이 습격자 무리를 한곳으로 몰았고, 북부의 병사들이 습격자들을 제압했다.

불길이 피어올랐고, 그 열기가 리더를 안심시켰다.

앞에 있는 사람이 거짓말을 하지 않았다는 사실과 자신의 촉이 생생하단 사실을 다시금 확신했다.

"공작님! 모두 정리했습니다. 작은 부상을 입은 병사는 있지만 습격자 무리가 반항이 거세지 않았기에 큰 부상을 입은 병사는 없습니다. 습격자 무리 대부분을 포로로 잡았습니다."

"수고했다. 저들을 모두 왕국으로 압송해라. 그리고 이 사람을 조용한 도시로 옮겨주어라."

공작이었단 말인가? 북부의 벽이라고 불리는 카인트 공작을 알아보지 못하고 잠시나마 의심을 가진 자신이 부끄러웠다.

반항을 하지 않아서 다행이야. 만약 반항했다면? 공작의 검이 내 몸을 갈기갈기 찢어놓았겠지.

*　　　*　　　*

습격자 무리를 압송하고 돌아온 카인트 공작에 의해 배후가 누구인지 알려졌다.

남부 귀족들은 입이 열 개라도 말을 할 수가 없었다.

습격자 무리의 첩자가 남부 파벌의 일원이었기에 불똥이 자신들에게 튀지 않도록 최대한 몸을 사려야 했다.

"타나스 왕국이라면 신성제국을 제외하면 가장 강한 무력을 가지고 있는 곳이군요. 우리가 그들을 상대로 배상을 받을 수 있겠습니까?"

아다드 왕은 여전히 왕국의 전력을 믿지 못하고 있었다.

다른 왕국의 공작보다 작은 땅을 가지고 있었기에 아다드 왕에게는 자신감이 부족했다.

타나스 왕국을 상대로 배상을 받겠다는 생각만으로도 두려움을 느끼는 아다드 왕이었다.

"상대가 신성제국이라고 해도 사과를 받아야 합니다. 아직 항마 전쟁이 끝나지 않은 상황이고, 암묵적으로 모든 국가가 동맹을 맺고 있는 지금 자신들의 이득을 위해 습격단을 꾸린 것은 국제적으로 지탄받아야 하는 행동입니다. 우리가 타나스 왕국에게 배상을 요청하며 다른 국가들이 우리의 손을 들어줄 것입니다."

마음이 약한 아다드 왕에게 자신감을 심어주기 위해 카인트 공작이 강하게 말했다.

"그러면 사신으로 누구를 보내는 것이 좋겠습니까?"

남부 귀족들의 고개는 이전보다 더욱 숙여졌다.

득보다는 실이 많은 사신으로 끌려가고 싶어 하는 남부 귀족은 아무도 없었다.

"아드몬드 기사단장을 보내는 것이 좋겠습니다. 이미 브루니스 왕국을 대표로 항마 전쟁에 참여한 전적도 있으니 아드몬드 기사단장을 무시하지는 못할 겁니다."

자신의 아들을 사지가 될지도 모르는 장소에 밀어 넣는 카인트 공작이었다.

악마의 탑 5층을 다시 공략하는 것은 현재로서는 불가능했고, 의미 없이 시간을 보내는 지금 아드몬드가 사신으로 가지 못할 이유는 없었다.

"아드몬드 기사단장 혼자 해결할 수 있겠습니까? 물론 아드몬드 기사단장의 기개는 인정하지만 사신으로 가는 자리는 무력만으로는 부족합니다. 협상 능력이 뛰어난 사람이 그의 옆에 필요합니다."

사과를 받는 것도 중요했지만 배상도 중요했다. 진심이 담기지 않은 백 마디 사과보다 당장 이득이 되는 배상이 사과의 의미로 더욱 적절했다.

'하지만 사자 우리로 누가 들어가려고 하겠어? 무력이 강한 기사들도 가기 꺼리는 곳인데. 현재 왕국에 무력이 뛰어나면서 협상 능력까지 뛰어난 사람이 있었던가?'

불현듯 한 명이 떠올랐다.

'설마 나는 아니겠지?'

"진 자작을 추천합니다. 악마의 탑을 돌파할 정도의 무력도 가지고 있으며, 머리도 매우 뛰어나니 사신으로서의 역할을 완벽하게 수행할 수 있습니다."

혹시는 역시가 되었다.

'타나스 왕국까지 빠르게 이동한다고 해도 한 달은 걸릴 건데. 그 먼 거리를 이동하면 엉덩이에 땀띠가 생기겠네. 아닌가? 오히려 더 좋잖아. 못해도 두 달은 수련을 하지 않아도 되잖아!'

"제가 가겠습니다. 아드몬드 기사단장과 힘을 합치면 이번 협상을 성공적으로 이끌 자신이 있습니다."

무조건 자신이 있었다. 수련을 피할 수만 있다면 이런 협상은 몇십 번이고 해줄 수 있다.

"그럼 부탁하겠네. 이번 협상은 우리 왕국의 이름을 세계에 각인시켜 줄 수 있는 기회네. 우리가 여전히 약하다고 생각하는 국가들이 있기에 이런 사달이 생겼다네. 우리가 이번에 강하게 나서야 이런 일이 다시 생기지 않을 걸세."

카인트 공작이 쐐기를 박았다.

남부 귀족들은 꿀 먹은 벙어리가 되어 있었고, 그렇게 사신으로 나와 이드몬드가 떠나게 되었다.

내가 움직이면 당연히 브로안이 따라와야 했다. 여전히 브로안은 내 호위 무사였으니.

악마의 탑 멤버 3명이 동시에 움직이는 사신단이다. 3명의 무력을 합치면 웬만한 기사단과 비등했다. 브로안 혼자만으로도 기사단 절반을 상대할 수 있었다.

그리고 대동하는 기사단과 합치면 타나스 왕국 기사단이 떼로 덤벼든다 하더라도 살아 돌아갈 자신은 있었다.

그리고 비상시에 나를 보호해 주는 골렘까지 보관 상자 안에 들어 있었으니 안전이 걱정되지는 않았다.

*　　　　*　　　　*

타나스 왕국으로 가는 길은 멀었기에 마차를 타고 이동해야 했다.

내가 특별히 제작한 마차였다.

지지대에 완충장치도 달았고, 마차 내부에 푹신한 쿠션도 잔뜩 넣었다.

세계에서 한 대밖에 없는 마차다. 아무리 돈이 많은 왕족이라도 이런 마차를 가지지는 못할 것이다. 덕분에 브로안도 편안히 누워 타나스 왕국으로 이동할 수 있었다.

아드몬드는 마차에 타고 있는 우리를 부러워했지만 기사단장이라는 자존심 때문에 마차 안으로 들어오지 못했다.

"자존심이 중요하냐? 편한 게 최고 아냐?"

"맞습니다. 저는 옛날에 자존심을 팔아먹어서 그런 거 없습니다."

브로안은 푹신한 쿠션을 온몸으로 느끼고 있었고, 나도 슬슬 누울 준비를 했다.

그 순간 마차 문이 벌컥 열렸다.

"이럴 줄 알았다. 이동하는 동안에도 수련을 게을리하지 않겠다고 나랑 약속했던 것을 벌써 잊었단 말이냐!"

"스승님이 어떻게 이곳까지?"

"네가 이러고 있을 것 같아 급히 말을 타고 쫓아왔지. 카인트 공작님이 특별히 가장 빠른 말을 지원해 주었지. 어서 나오거라."

이럴 거면 내가 왜 그 고생을 해서 마차를 제작했단 말인가.

브로안은 누워서 손을 흔들어주고 있었다.

브로안을 편히 이동시켜 주기 위해 마차를 제작한 것이 아니라고!

편한 마차 대신 돌덩이가 나를 반겼다.

"이동하는 동안 할 수 있는 수련은 이런 것밖에 없군. 아쉬워, 정말 아쉬워."

뭐가 아쉽단 말인가. 하루라도 제자를 괴롭히지 않으면 입에 가시라도 생겨나는 병이 걸렸나.

나는 이동하는 동안 돌을 안고 걸어가는 건 물론이고 남들 다 자는 시간에 홀로 달을 보며 고리 강화 수련까지 해야 했다.

습격을 당해 죽을 걱정보다 과로사 걱정을 먼저 해야 했다.

그런 나의 모습을 조용히 웃으며 지켜보는 아드몬드였다.

젠장, 사서 고생이네.

한 달 동안 이 짓을 할 생각을 하니 그냥 왕국으로 돌아가고 싶었지만 이미 뱉은 말을 담을 수는 없다.

병이라도 걸리지. 무슨 몸뚱이가 이렇게 튼튼하냐.

피로가 턱 끝까지 올라와서야 목적지가 보였다.

선선한 날씨에 홀로 땀을 흘리고 있는 내 모습에 눈물이 났다.

다시는 절대 장거리를 이동하는 일은 하지 않겠다고 다짐했다

타나스 왕국으로 사신단이 움직이는 동안 브루니스 왕국은 습격자들의 배후에 타나스 왕국이 있다고 대대적으로 알렸고, 국제적 정세는 타나스 왕국에게 좋지 않게 돌아가고 있었다.

그래서인지 타나스 왕국으로 들어가는 우리를 바라보는 타나스 사람들의 시선은 곱지 않았다.

마치 너희들 때문에 우리가 손가락질을 받고 있다는 듯한 눈빛이었다.

뭔가 바뀐 것 같은데. 그런 눈빛을 우리가 받아야 하는 게 아니고 줘야 될 입장인 것 같은데. 사람들이 아직 자신들의 잘못을 인정하지 못하고 있네.

아직 브루니스 왕국을 소국으로 생각하고 대충 얼버무리려고 할 수도 있겠는데.

사람들의 표정을 봐서는 말이야.

"브루니스 왕국 사신단이 입장합니다."

확실히 제국에 근접한 왕국의 위용은 달랐다.

눈을 사로잡는 건축물과 예술품들이 왕국 곳곳을 아름답게 꾸며주고 있었고, 원색의 정복을 입은 귀족들에게서 위엄이 느껴졌다.

하지만 그들이 아무리 위엄 있게 서 있다고 하더라도 잘못을 했다는 사실은 변하지 않는다.

갑은 우리였고, 타나스 왕국은 을의 입장이었다.

슈퍼 을이긴 하지만 어쨌든 우리가 더 큰 소리를 쳐야 하는 것에는 변함이 없었다.

"타나스 왕국을 방문한 걸 환영하네. 먼 길을 이렇게 힘들게 찾아와 주니 고맙긴 하지만 무슨 이유로 왔는지 이유를 물어봐도 되겠는가?"

역시 이런 반응을 보일 줄 알았다.

이미 서신을 몇 차례 보냈기에 사신단이 방문하는 이유를 모를 리가 없었다.

하지만 타나스 왕은 모르는 척하며 발뺌을 했다.

우리를 흥분시킬 생각인 것 같은데 사람 잘못 봤어.

"우리가 먼 길을 돌아 이곳에 찾아온 이유를 정녕 모르십니까? 그렇다면 타나스 왕국에 큰 문제가 있는 게 아닌지 의심스럽습니다. 몇 번이나 보낸 서신을 중간에서 가로챈 사람이 있다는 것은 왕권을 무시하는 행동입니다. 아직 항마 전쟁이 일어나지도 않았는데 타나스 왕국에 내전의 불꽃이 발생할까 걱정됩니다."

일단 지르고 봤다. 사신단 사람들이 너무 얼어 있기도 했었고, 강하게 나갈 필요가 있었다. 입으로 우리를 억누르지 못한다는 것을 가슴속에 심어줘야 했다.

"뭐라고! 감히 우리 왕국을 뭐로 보고 그런 말을 한단 말이냐! 내전은 왕권이 강하지 않은 나라나 겪는 일이다. 브루니스 왕국이 일전에 그랬듯이 말이다. 우리 타나스 왕국은 약하지 않다. 짐을 중심으로 하나로 뭉친 왕국이다."

"전하를 중심으로 뭉친 왕국인데 어째서 우리 왕국이 보낸 서신을 전하께서 보지 못하신 겁니까?"

"전하, 먼 길을 온 사신단이 휴식을 할 수 있도록 배려를 해주시는 게 어떻겠습니까?"

타나스 왕이 불리한 말을 하지 못하게 중간에서 가로막는 귀족들이었고, 그렇게 1차전은 끝이 났다.

귀족들을 앞세워 우리의 기를 죽이려고 했던 작전은 물거품으로 돌아갔다.

하지만 우리의 입장에서도 좋은 것만은 아니었다.

사과와 배상을 받기 위해서는 습격의 배후가 타나스 왕국이라고 자백을 해야 했다.

이렇게 발뺌을 한다면 최후의 수단을 사용해야 될지도 몰랐다.

* * *

2차전은 다음 날 오전부터 시작되었다.

타나스 왕은 업무를 핑계로 외교를 담당하는 가르트 백작에게 이번 일을 일임했다.

1층의 홀이 아닌 작은 접대실에 안내받은 우리는 가식적인 웃음으로 얼굴 전체를 도배한 가르트 백작과 인사를 해야 했다.

"브루니스 왕국의 사신단의 문제를 제가 일임했습니다. 브루니스 왕국에서 있었던 일들은 저도 매우 유감스럽게 생각하고 있습니다. 고가의 물건을 노리고 나타나는 도적들은 세계 어디를 가도 존재하지요. 진즉 치안에 힘쓰셨으면 이런 문제가 생기지 않았을 것인데. 안타깝습니다."

이번에도 모르쇠 작전을 쓰는 타나스 왕국이었다.

왕이나 귀족이나 한 가지 작전밖에 배우지 못한 듯 보였다.

"이미 증거는 확보했습니다. 습격을 주도했던 사람의 자백도 보유하고 있습니다. 자꾸 모른 척해서 해결될 일이 아닙니다. 잘못을 인정하고 빠르게 해결을 보는 것이 최선이라고 봅니다."

"그런데 브루니스 왕국은 얼마나 우리를 업신여기면 자작의 직위를 가진 사람이 발언권을 가지고 우리를 상대하는 겁니까?"

고작 계급으로 말을 돌리려고 하다니. 진짜 우리를 만만하게 생각하고 있구나.

"저와 아드몬드 기사단장님은 전하에게 이번 일의 전권을 위임받았습니다. 우리가 하는 말은 곧 브루니스 왕국의 뜻을 대변합니다. 도대체 문제를 해결할 생각은 있는 겁니까? 시간을 끌어서 좋을 게 뭐가 있습니까. 지금 국제 정세도 타나스 왕국을 지탄하는 방향으로 움직이고 있습니다. 신속하게 사과하지 않는다면 타나스 왕국으로 향하는 비난이 더욱 거세질 겁니다."

"허허, 정말 우리가 하지 않았습니다. 억울하군요. 하지도 않은 일로 사과를 하라니."

"지금 하신 말이 타나스 왕국의 의견이라고 생각해도 되겠습니까?"

"그렇죠. 우리는 정말 아무런 일도 하지 않았습니다. 습격을 주도했던 사람이 왜 우리 왕국을 지목했는지는 모르겠지만 우리는 결백합니다."

"제가 증거를 찾는다면 어떻게 하시겠습니까?"

"증거? 무슨 증거를 찾으려고 하는지는 모르겠지만 우리 왕국의 결백은 시간이 지나면 해결될 문제입니다. 오해는 시간이 해결해 주는 법이니까요."

"기사단장님, 나가시죠. 더는 여기에 있을 이유가 없는 것 같습니다."

아드몬드와 회의실을 나왔다.

얼굴에 철면피 백 장은 두른 사람과 대화를 나누어서 이득 될 게 없다.

오히려 내 속만 타들어가지.

지정받은 방으로 들어가 아드몬드와 이번 문제를 해결할 방안을 궁리했다.

"일이 쉽지 않게 되었군. 우리가 가지고 있는 모든 증거가 위조되었다고 하니, 어떻게 하는 게 좋겠나?"

"저에게 방법이 있습니다. 다른 나라의 상단 중에 습격을 받은 상단을 모아야 합니다. 타나스 왕국은 상행위가 활발한 나라이기에 상단 관계자들을 찾는 것이 어렵지는 않을 겁니다."

"그들을 모아서 어떻게 하려고 하는가?"

"물건을 찾아줘야죠. 어렵게 경매에서 낙찰받은 물건인데 주인을 찾아줘야 되지 않겠습니까. 상인들을 우리 편으로 만들면 타나스 왕국이 더는 발뺌하지 못할 겁니다."

상인들을 모으는 일은 어렵지 않았다.

오히려 상인들은 우리를 만나기 위해 서신을 보내오고 있는 상황이었다.

그중 습격받아 경매품을 뺏긴 상단의 관계자들을 모았다.

"처음 뵙겠습니다. 저는 브루니스 왕국의 진 자작이라고 합니다."

내 얼굴을 모르는 상인들은 많았지만 내 이름을 모르는 상인은 없다고 자부할 수 있다.

경매장을 실질적으로 운영하는 사람이 나라는 소문이 퍼져 있었고, 당연히 상인들은 필수적으로 내 이름을 알고 있었다.

"이렇게 뵙게 돼서 영광입니다. 자작님 덕분에 좋은 물건을 많이 구할 수 있었습니다. 감사합니다."

타나스 왕국과 라이벌 관계인 서부 국가의 중심. 탄트 왕국의 상단의 관계자가 말했다.

"감사의 인사를 받을 수가 없네요. 이번에 경매에서 낙찰받으신 무기를 습격자들에게 빼앗겼다고 들었습니다. 우리가 신속히 움직이지 않아 이런 문제가 생겼습니다."

"그게 자작님 잘못이겠습니까. 경매보다 도적질로 물건을 구하려고 하는 사람이 잘못이지요."

상단의 관계자들은 일련의 사건에 대해 전달을 받았는지 습격자들의 배후가 타나스 왕국이라는 것을 짐작하고 있었다. 하지만 그들은 움직이지 않았다.

우리가 정확하게 타나스 왕국이 배후라는 증거를 찾아내거나 타나스 왕국이 공식으로 사과를 할 때까지 웅크리고 있는 것이었다.

어려운 일을 우리에게 미루는 듯한 느낌을 받았지만 그래도 이들이 우리에게는 꼭 필요했다.

"짐작은 하고 계시겠지만 타나스 왕국에서 습격자들을 고용해 강도짓을 했습니다. 저희에게 증거가 있지만 계속해서 발뺌을 하는군요."

"저희도 그 사실을 전해 들었습니다. 정말 염치가 없는 사람들입니다. 뻔히 자신들이 한 짓이라는 것이 자명한데 발뺌하다니. 악마를 상대로 싸운 동맹국의 관계인데, 어찌 저런 파렴치한 짓을 할 수 있는지 모르겠습니다."

"그렇게 생각해 주시니 감사하네요. 상단에서 도둑맞은 물건들의 명단을 알 수 있을까요? 저희의 책임도 있으니 일정 부분을 저희가 보상해 드리고 싶습니다."

"괜찮습니다. 왕국을 벗어난 지점에서 강도를 만났으니 전적으로 상단의 책임입니다. 도의적으로 근접 왕국의 책임이 있을 뿐 보상해 주실 의무는 없습니다."

"마음이 편치 않아서 그렇습니다. 여러분들도 알고 계시겠지만 경매장의 운영을 제가 하고 있습니다. 앞으로도 우리 경매장을 이용하실 고객분들인데, 어찌 모른 척하겠습니까. 저는 자신들이 한 짓을 발뺌하는 사람들과는 다릅니다."

상단의 관계자들은 아닌 척하면서도 잃어버린 물건의 명단을 우리에게 제출했다.

C급 이상의 아이템도 있었고, 단순히 강화된 무기도 명단에 적혀 있었다.

양으로 치면 마차 10대분이 넘는 무기였다.

"조만간 제가 보상해 드리겠습니다. 좋은 구경거리도 함께 제공해 드리겠습니다. 가급적이면 상단을 대표하는 분이 참석했으면 좋겠는데. 이것을 전해주실 수 있으시겠습니까?"

준비한 서찰을 상단 관계자들에게 건네주었다.

보상과 함께 구경거리를 제공하겠다는 내용이 적힌 서신을 받은 관계자들은 신속히 상점으로 돌아가 서신을 각국에 위치한 본점으로 보내었다.

상단의 주인이 상인인 곳도 있었고, 고위직의 귀족이 주인인 곳도 있었다.

그들 모두가 모이는 것은 불가능하겠지만 왕국에 큰소리를 칠 수 있는 사람 몇 명은 참석할 것이다.

잃어버린 물건을 찾기 위해 작업을 하는 동안 각 상단의 답신이 속속들이 들어왔다.

늦어도 다음 달 안에 각 상단의 대표 혹은 주요직 인사들이 참석한다는 내용의 답신이었다.

참가자 모집은 끝이 났다. 이제는 화려한 파티를 준비하는 일만이 남았다.

"형님, 정말 왕궁 안에 물건들이 있겠습니까? 머리가 달린 놈이라면 훔친 물건을 왕궁 안에 두지는 않을 겁니다."

"네가 아직 세상 물정을 몰라서 그래. 사람의 욕심은 끝이 없고, 좋은 물건은 곁에 두고 하는 습성이 있지. 특히 강한 권력을 가지고 있는 사람이라면 말이다."

"알겠습니다. 그럼 왕궁 안에 도둑맞은 물건이 있다고 칩시다. 그러면 어떻게 물건을 찾을 생각입니까? 이 넓은 왕국을 다 뒤질 생각입니까? 우리가 조금만 움직여도 눈에 불을 켜고 쫓아오는 기사들과 병사들의 눈을 피해 물건을 찾는 것은 불가능합니다."

"하긴 몬스터랑 비등한 덩치를 가지고 있는 너를 데리고 어떻게 탐색 작업을 하겠냐. 의심하지 말고 그냥 나만 믿고 따라와."

사신으로 떠나기 전 카인트 공작이 만약의 사태를 대비해 나에게 은신 망토를 주었기에 왕궁을 탐색하는 것은 어렵지 않은 일이었다.

그리고 물건을 찾는 것도 그렇게 어렵지 않다.

악마의 탑에서 구한 아이템이라면 모르겠지만, 내가 직접 강화시킨 특수 무기에서는 특유의 기운이 뿜어진다. 오러를 느낄 수 있는 기사가 사라진 지금 그 기운을 느낄 수 있는 사람은 나와 스승님뿐이었다.

다행히 이번에 도둑맞은 물건 중에는 육체 강화술로 고리를 형성한 이후 만든 아이템도 다수 포함되어 있고, 충분히 위치를 파악할 수 있다.

스승님은 수색하려고 하는 나를 붙잡고 조언을 해주었다.

"네 기운이 묻어 있는 아이템들을 찾으려면 밤에 움직이는 게 좋을 게다."

"역사는 밤에 이루어지는 법이죠. 저도 낮에 움직일 생각은 없습니다. 경비가 허술한 밤을 이용해 수색할 겁니다."

"그런 뜻이 아니다. 고리의 기운은 밤이 되면 더욱 강하게 향기를 내뿜는다. 기운이 강해지는 것은 아니지만 유독 밤에 기운의 향기를 더 잘 느낄 수 있게 되지."

나는 밤이 깊어오기를 기다렸다. 그리고 밤공기가 서늘하게 불어오자 은신 망토를 착용했다.

분명 왕궁 안에 아이템들이 숨어 있다.

눈을 감고 고리의 에너지에 집중했다. 고리의 에너지는 천천히 왕궁으로 퍼져 나가며 자신과 같은 기운을 가지고 있는 아이템을 찾아 나섰다.

고리의 기운이 이끄는 대로 발을 움직였다.

보통 귀중한 물건은 지하 비밀 창고에 보관하는 것이 관례였다.

왜 그런지는 모르겠지만 보통 보물 창고는 지하에 있었다. 하지만 고리의 기운이 이끄는 방향은 지하가 아니라 꼭대기 층이었다.

더는 계단을 통해 올라가지 못하는 장소를 가리키는 고리의 기운이었다.

비밀 통로가 있을 것이다.

벽에 손을 가져다 대었다. 벽 또한 금속의 일부다. 벽을 이루고 있는 입자들이 나에게 많은 정보를 주었다.

그리고 나는 유독 다른 입자를 가지고 있는 녀석을 찾았다. 거기에 비밀 통로로 가는 문이 있을 것이다.

나는 문을 이루고 있는 입자들을 천천히 밖으로 밀어내 내 몸이 겨우 들어갈 수 있는 구멍을 만들어 안으로 들어갔다. 그리고는 다시 입자들을 재구성해 문을 막았다.

"유레카!"

역시 도둑맞은 물건들은 왕궁 안에 있었다.

*　　　*　　　*

타나스 수도는 때아닌 성황을 맞이하고 있었다.

축제 기간도 아니었건만 많은 상인들이 방문해 좋은 물건을 값싸게 구매할 수 있었고, 사람들은 각국의 상단들이 자신 있게 내미는 물건을 구경하기 위해 거리로 쏟아져 나왔다.

"주인공들은 다 모인 것 같네. 이제 슬슬 파티를 시작해 볼까."

"형님, 근데 너무 위험한 것 아닙니까? 특히 제가요. 형님이야 다른 상인들과 같이 있으니 안전하겠지만 저는 자칫 잘못하면 지명수배범이 될지도 몰라요."

"내가 다 알아서 할 테니까, 걱정하지 말고 시킨 거나 잘해."

이번 파티의 축포를 담당하는 브로안은 걱정이 많았다.

몬스터를 상대로는 못 달려들어 안달인 놈이 오늘따라 불평을 다 하네. 언제 몸 사리면서 살았다고 그래.

"손님들이 다 모였다고 하는군. 이만 가지."

나와 아드몬드는 각국의 상단 대표들이 모여 있는 연회장으로 이동했다.

각국의 상단 대표들과 같이 온 수행원들이 들어갈 수 있는 건물은 없었고, 야외에서 행사를 진행하기로 했다.

타나스 왕국에서 멀지 않은 공터를 대여해 행사를 열었다. 다른 나라의 사신이 한 나라의 수도에서 행사를 진행하는 것에 불만이 터져 나왔지만, 각국 상단의 입김 덕분에 어렵지 않게 행사를 열 수 있었다.

“우리의 소중한 고객분들이 많이도 모여 있네요.”

“그렇군. 상인이 이렇게 많은 줄은 나도 몰랐군.”

공터를 파티장으로 쓰기 위해 많은 돈을 투자했다. 유명한 조각사의 조각도 몇 개 구입해 세워놓았고, 근처 꽃집을 털다시피 해 공터를 꾸몄다.

임시로 만든 테이블 위에는 타나스 왕국의 전통 음식들이 쌓여 있었고, 다양한 종류의 주류도 구비되어 있었다.

이제 파티를 시작해 볼까.

“제가 여러분들을 초대할 자격이 있는지는 모르겠지만 이렇게 참석해 주시니 감사함에 몸둘 바를 모르겠습니다. 다들 들어서 알고 계시겠지만, 제가 여러분들을 초대한 이유는 우리 경매장을 주로 이용해 주시는 고객 여러분들에게 감사의 인사와 소정의 선물을 드리기 위해서입니다. 그리고 잃어버린 물건에 대한 책임도 저희에게 일정 부분 있다고 할 수 있습니다. 그에 대한 보상도 준비를 했습니다. 제가 음식을 앞에 두고 말을 너무 많이 했네요.”

간단한 인사말을 마치고 자리에 돌아왔다.

각국의 상인들이 서로 교류를 하며 대화를 꽃피웠고, 나와 아드몬드는 수많은 상인의 악수를 동반한 인사에 손가락 지문이 닳아 없어지지 않을까 걱정을 해야 했다.

“이번 사건에 대한 보상을 브루니스 경매장에서 해주신다면 저희야 고맙기는 하지만, 굳이 그러지 않으셔도 되지 않습니까. 왕국을 벗어난 이상 책임은 전적으로 상단에 있습니다.”

“우리는 고객들의 편의를 위해 항상 생각하고 노력합니다. 왕국을 벗어났다고는 하지만 우리 왕국에서 멀지 않은 곳에 도적이 나타나 사고가 났는데 당연히 우리가 책임을 져야죠.”

“그런데 뭐로 보상을 하실 생각이십니까? 혹시 돈은 아니겠지요?”

“상단을 가지고 있는 사람 중에 돈을 싫어하는 사람은 없지만, 요즘은 돈보다 아이템이 더 욕심이 나더군요.”

은연중에 경매장에서 나오는 물건의 우선권을 바라는 상인들도 있었고, 특수 능력을 가지고 있는 무기를 여기에 참석한 사람들끼리 비밀 경매를 하자는 사람도 있었다.

하지만 내가 그들에게 해줄 보상은 그런 종류가 아니었다.

멋진 쇼와 함께 생에 다시 볼 수 없는 그런 추억을 만들어줘야지.

“다들 식사는 맛있게 하셨습니까? 준비를 한다고는 했지만 상단의 대표님들이 드시기에는 부족하지 않았나 싶습니다. 그래도 성의를 봐서 배불리 드셨기를 바랍니다. 제가 보낸 서신을 기억하십니까? 보상과 함께 멋진 쇼도 약속드렸습니다. 어떤 쇼를 보여줄지 기대되지 않습니까?”

“서커스단도 보이지 않고, 동물들도 보이지 않는데 어떤 쇼를 준비하신 겁니까? 이거 제가 7살 아이가 된 기분입니다. 기대해도 되겠습니까?”

“기대해도 좋습니다. 준비한 열기구를 꺼내 오세요.”

항마 전쟁 당시 열기구를 준비해 가긴 했지만 열기구가 활약

할 수 있는 환경이 아니었고, 이 중에 열기구를 본 사람은 아무도 없다.

"하늘을 날고 싶지 않으십니까? 안전은 제가 장담하겠습니다. 하늘을 나는 느낌을 만끽하고 싶으신 분이 계시면 저와 함께하시지요."

열기구는 아크타르 버너가 만들어내는 뜨거운 공기로 크기를 키워갔고, 서서히 하늘로 떠오르려고 했다.

이전에 비해 더 발전을 이루어서 10명 정도가 타도 충분한 크기의 열기구를 만들 수 있었다.

"선착순으로 10명만 받겠습니다. 군사용으로 제작한 물건이니만큼 걱정은 하지 않으셔도 됩니다. 하늘을 날고 싶은 꿈을 꿔보신 분이라면 이번 기회를 놓치지 않기를 바랍니다."

서로의 눈치만 살피는 상단주들이었다. 하지만 그들도 이런 기회를 놓치고 싶지 않아 했다. 결국 각국을 대표하는 상단 주인들은 열기구에 탑승했다.

"이제 밧줄을 풀어주세요."

열기구를 잡고 있던 밧줄이 풀리자 열기구는 서서히 하늘로 올라갔다.

"이게 신기한 쇼군요. 평생 하늘을 날 수 있을 거라고는 생각하지 않았는데. 덕분에 꿈을 이루게 되었습니다."

하늘 높이 열기구가 올라가자 상단주들은 어린아이처럼 호기심 가득한 눈으로 아래를 바라보았다.

"사람들이 이제 개미처럼 보이는군요. 열기구를 제작하는 데 돈이 많이 들어갑니까? 이런 물건 하나쯤 가지고 있으면 좋겠군요."

"저도 그 생각을 하고 있었습니다. 만약 열기구를 이용해 물건을 운송할 수 있다면 혁신이 될 겁니다."

역시 상인들이었다. 호기심 가득한 어린아이의 눈은 어느새 노련한 상단주의 눈으로 돌아가 있었다.

"다른 부품을 제작하는 데는 그렇게 많은 비용이 들지 않는데, 주요 부품인 이 버너를 만드는 것이 어렵습니다. 우리 왕국의 기술을 집약해서 만든 버너는 웬만한 특수 무기보다 비싼 돈이 들어갑니다."

거짓말이었다. 아크타르만 있으면 간단히 만들 수 있는 버너였다.

물론 나 말고 아크타르로 버너를 만들 수 있는 능력을 가진 사람이 있다면 말이다.

괜히 쉽게 만들 수 있다고 말하면 만들어달라고 하겠지.

귀찮은 일은 만드는 게 아니다.

그리고 그런 생각을 하지 못할 쇼를 준비해 놓았지.

"다들 타나스 왕궁을 보세요. 저 큰 왕궁이 한눈에 들어오지 않습니까? 이런 광경을 본 사람은 세상에 몇 명 되지 않습니다. 그리고 여러분들도 그 소수의 사람 중 한 명입니다."

사람들이 보석을 좋아하는 이유가 무엇일까?

영롱한 빛을 내서? 아름다운 외관 때문에?

희소성 때문이다. 쉽게 가지지 못하는 물건이기에 보석을 좋아하는 것이다.

열기구를 타는 경험도 희소성을 가지고 있었기에 상단주들은 만족스러운 미소를 지었다.

하지만 이게 끝이 아니다.

더 신기한 장면이 기다리고 있다.

"다들 귀를 잠시만 막아주시겠습니까?"

상단주들은 내 말에 따라 귀를 막았고, 나는 정면을 향해 신호탄을 쏘았다.

귀를 막았다고는 하지만 워낙 시끄러운 소리에 상단주들은 살짝 몸을 떨었다.

"이제 끝났습니다."

"신호탄을 왜 쏘신 겁니까? 다른 것을 또 준비하셨습니까?"

"왕궁을 지켜보시면 제가 왜 신호탄을 쏘았는지 이해가 되실 겁니다."

상단주들은 기대감에 차 왕궁을 바라봤고, 그 순간 왕궁에서 폭발음이 들려왔다.

펑!

폭발은 먼지를 자욱하게 만들어내었고 얼마 지나지 않아 먼지가 가라앉았다.

"저건 우리가 도둑맞은 물건 이 아닌가!"

"불의 활은 제가 이번에 경매장에서 구입한 물건인데. 저게 왜 저기에 있지?"

"우리 상단의 물건도 있습니다."

상단주들에게 특별히 망원경을 주어 더욱 자세히 구멍 난 왕궁을 볼 수 있게 해주었고, 습격을 당해 빼앗긴 물건들이 왕궁 안에 있다는 것을 그들에게 보여주었다.

"역시 타나스 왕궁이 습격자들의 배후였군. 마법 아이템들을 왕궁 안에 고스란히 보관하고 있으면서 모른 척하다니!"

"우리를 만만하게 생각한 게 분명합니다. 상단을 무시하지 않았다면 저런 짓은 못합니다."

예상대로 상단주들을 분노했다.

이제 쇼는 끝났다. 우리는 성공적으로 상단주들에게 잊지 못할 추억을 만들어주었다.

내가 버너의 뚜껑을 닫자 열기구는 서서히 내려갔다.

열기구가 내려가는 동안 왕궁 상황을 보기 위해 망원경을 눈에 가져다 대었다.

이런! 브로안이 왕궁 기사단에게 쫓기고 있네.

브로안이라면 어떻게든 살아 돌아오겠지.

몬스터보다 더 끈질긴 생명력을 가지고 있는 놈이니까.

브로안은 거대한 덩치를 열심히 움직여 기사단의 포위망을 뚫고 있었고, 입으로 누군가의 욕을 하고 있었다.

브로안이 발에 땀이 나게 도망가고 있는 동안 열기구는 땅에 도착했고, 상단주들은 흥분을 감추지 못하고 열기구에서 뛰어내렸다.

"집단행동을 해야 합니다. 정식 사과를 받지 않으면 우리 상단은 타나스 왕국과의 거래를 끊겠습니다. 도적들과 거래를 하고 싶지는 않습니다."

"우리 상단도 동참하겠습니다."

"타나스 왕국과 거래를 하면 언제 물건을 뺏길지 모릅니다. 우리 상단도 거래 중지를 선언하겠습니다."

타나스 왕국은 상거래를 중심으로 발전한 왕국이었다.

각국의 상단이 타나스 왕국에게 등을 돌리면 엄청난 타격을 받게 된다.

새로운 제국이 되기를 바라는 타나스 왕국의 꿈이 물거품이 되는 순간이었다.

"이럴 게 아니라, 모두 왕궁으로 갑시다. 우리가 동시에 들어가면 우리를 위협하지는 못할 겁니다."

상단주들은 흥분이 가시지 않는지 집단행동을 하려고 했고, 나는 거기에 기름을 뿌렸다.

"제가 앞장서겠습니다. 저는 브루니스 왕국의 사신으로 참석했으니 저에게 위해를 가하지는 못할 겁니다."

분노한 상단주들을 이끌고 왕궁 안으로 들어갔다.

기사들은 분노한 사람들이 왕궁 안으로 들어가지 못하게 막았지만, 위에서 명령이 떨어졌는지 우리를 오래 막아서지는 않았다.

왕궁 안으로 들어서자 우리를 가장 먼저 맞이하는 사람은 외교를 담당하는 가르트 백작이었다.

"오해를 하고 있는 것 같으신데, 흥분을 가라앉히고 제 말을 들어주세요. 저 물건들이 왜 우리 왕궁 안에 있는지 이유를 찾고 있습니다. 우리가 사건의 경위를 파악할 동안만 기다려 주세요."

"또 다른 핑계를 생각하지 못했나 보군요. 우리가 제시한 많은 증거들을 무시했던 것처럼 발뺌할 생각이십니까? 도둑맞은 물건들이 여기에 있다는 사실이 밝혀졌는데 무슨 조사가 더 필요합니까. 정식으로 사과를 요청합니다."

가르트 백작은 사색이 되어 있었다. 자신이 하는 모든 말이 변명이라고 자신도 알고 있었기에 기름칠한 듯이 번들거리던 입을 제대로 사용하지 못하고 있었다.

그러게 처음부터 사과를 했으면 이런 일이 없었잖아.

"진 자작님, 저와 잠시 따로 대화를 하지 않겠습니까?"

급하긴 급했나 보다. 은연중에 나를 무시하던 가르트 백작은 손까지 비비며 다급히 말했다.

하지만 이대로 작당 모의를 하게 둘 수는 없지.

"저는 할 말이 없습니다. 공식 사과를 당장 하지 않으신다면 우리는 타나스 왕국과의 관계를 완전히 끊겠습니다. 그리고 그 이후의 상황은 말하지 않아도 아시겠지요?"

상단주들은 내 말에 고개를 끄덕여 주며 동의를 해주었기에 가르트 백작은 자신의 선에서 해결할 수 있는 문제가 아니라는 것을 인지했다.

그는 왕의 집무실로 이동했고, 그러는 동안 우리는 앞으로의 일에 대해 상의했다.

"공식적인 사과와 배상을 하지 않는다면 우리 브루니스 왕국은 전쟁도 불사할 생각입니다. 아직 항마 전쟁이 끝나지도 않은 상황에서 뒤통수가 가려우면 어떻게 전쟁을 지속할 수 있겠습니까."

"우리도 직접 전쟁에 참가할 수는 없지만, 타나스 왕국을 돕지 않겠다는 약속은 드리겠습니다. 그리고 타나스 왕국에 있는 모든 상점을 철수시키겠습니다."

조금 더 극단적으로 움직일 필요가 있었다.

우리가 진심이라는 것을 알아야 타나스 왕국도 발등에 불이 떨어졌다는 것을 깨달을 것이다.

배상 문제에 대한 얘기를 진행하는 동안 가르트 백작이 돌아왔다.

그의 얼굴에 번져 있는 땀이 안쓰러웠지만 자업자득이었다.

"전하께서 들어오라고 하십니다."

이번 사건이 얼마나 심각한 사안인지 이제야 이해를 했군.

극단적인 생각까지 하고 있는 우리들은 타나스 왕이 있는 집무실로 이동했다.

사과와 배상을 약속하지 않는다면 극단적인 선택을 바로 실행에 옮길 생각이었다.

집무실의 문을 열고 들어가자 여전히 근엄한 표정으로 집무실에 앉아 있는 타나스 왕이 보였다.

아직 여유가 있단 말이지.

"이제야 보고를 들었다네. 그 물건들이 우리 왕궁에 있는 이유를 파악하고 있다네. 누가 그런 행동을 했는지는 모르겠지만 우리 왕국의 명성에 흠집을 내기 위한 소행이네. 오해를 풀게나."

"오해한 적은 없습니다. 이미 증거가 확실한 상황에서 무슨 오해를 하겠습니까. 전하는 이번 사건과는 전혀 관련이 없으신 겁니까?"

"그렇다네. 내가 알았다면 이런 일이 일어나지 않았을 것이네. 우리 왕국이 어떻게 발전했는지 다들 잘 알고 있을 걸세. 우리 왕국은 상인들의 피와 땀으로 발전한 나라일세. 그런 우리 왕국이 어찌하여 상단의 물건을 빼앗는단 말인가."

"그렇군요. 알겠습니다. 다들 돌아가시죠. 결국 극단적인 선택을 해야 될 것 같습니다."

"극단적인 선택이라니? 무슨 선택을 했다는 말인가?"

"각국의 상단들과 이미 상의를 마쳤습니다. 공식적인 사과와 배상을 약속하지 않는다면 더는 타나스 왕국과 거래를 하지 않는 것은 물론이고, 이미 있는 상점들도 모두 철수시킬 것입니다. 그리고 우리 브루니스 왕국은 이번 사건을 절대 그냥 넘어가지 않을 생각입니다. 마지막으로 묻겠습니다. 인정하시겠습니까?"

일국의 왕에게 이런 말을 하는 것은 매우 무례한 짓이었다. 아무리 잘못을 저질렀다고 하더라도 왕의 자리는 존경을 받는 위치였고, 왕국의 국민들의 아버지나 다름이 없는 사람이었다.

하지만 지금 나는 브루니스 왕국을 대표로 왔으며, 내 뒤에는 각국의 상단 대표들이 지지를 보내고 있었기에 이런 말을 할 수 있었다.

그리고 타나스 왕국과 전쟁을 벌이면 빠르게 항복을 받아낼 자신도 있었다.

많은 병력을 가지고 있다고 한들 신식 무기 앞에서는 개미핥기 앞의 개미가 될 뿐이다.

"미안하네. 공식적으로 사과를 하겠네."

결국 백기를 드는 타나스 왕이었다.

우리의 일차적인 목적은 이루었기에 무참히 밟힌 타나스 왕의 자존심을 이제는 살려줘야 한다.

"그릇된 말을 한 것을 사과드립니다. 앞으로도 브루니스 왕국은 타나스 왕국의 동맹국으로서 최선을 다할 것을 약속드립니다."

상단주들도 분노를 가라앉혔다.

사과를 받는 과정은 복잡했지만 어쨌든 성공이었다.

이제 남은 문제는 보상에 관한 일이었다.

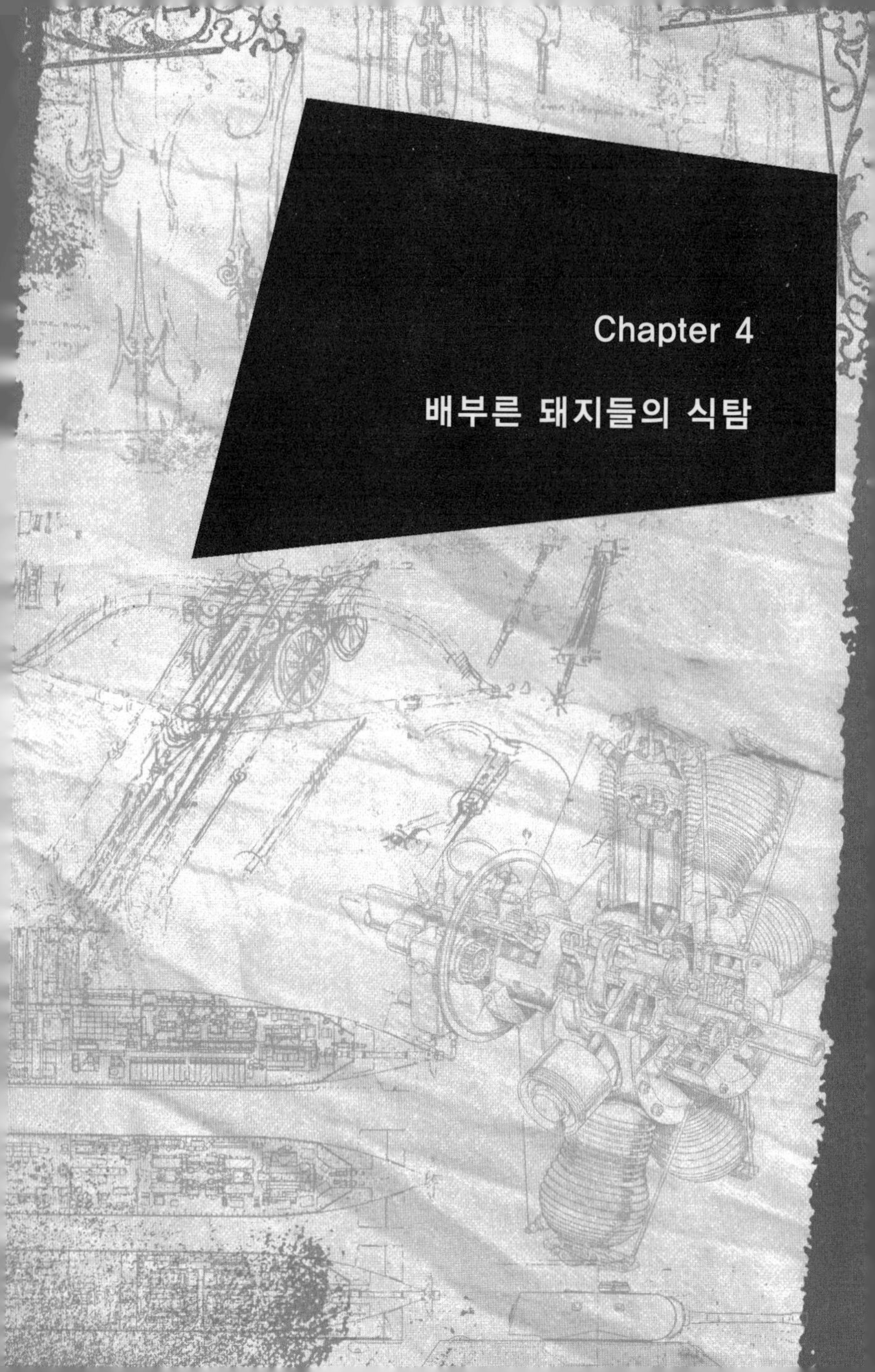

Chapter 4

배부른 돼지들의 식탁

습격당해 물건을 뺏긴 상단들에 대한 보상 절차는 순조롭게 진행되었다.

아이템을 돌려받고 그에 합당한 보상과 관세 인하 혜택까지 받게 된 상단들은 보상에 만족하고 돌아갔다.

하지만 우리는 달랐다. 일개 상단과의 협상이 아니라 국가 간의 협상이었다.

주도권을 우리가 잡고 있는 것은 여전했지만 상단과의 협상을 원만하게 끝냈기에 협상에 자신감을 가지고 있는 타나스 왕국이었다.

협상 테이블 맞은편에 있는 사람은 역시 가르트 백작이었다.

가르트 백작은 상단과의 협상을 성공으로 이끌었기에 불과 며칠 전의 울상을 찾아볼 수 없었다.

"이미 공석적으로 사과 서신을 브루니스 왕국에 보냈습니다. 이제 보상 문제만 해결하면 깔끔해지는군요. 저희가 제시할 수 있는 보상안은 다른 상단들에게 제시했던 조건과 동일합니다."

이게 무슨 늑대에게 호리병 주는 것도 아니고.

상단과 우리는 입장이 달랐다. 상단은 도둑맞은 물건을 되찾았을 뿐만 아니라 물건 값에 해당하는 보상, 그리고 관세 혜택으로 많은 이득을 얻을 수 있지만 우리는 아니었다.

사실 우리가 습격당해 뺏긴 물건은 없었는데 보상금이 도둑맞은 물품의 금액에 대해 책정되었기에 우리가 받는 돈은 한 푼도 없었다.

그리고 관세 혜택은 딱히 우리에게 필요하지 않았다.

남부 상단들이 타나스 왕국에 상행을 가긴 했지만 극소수였다. 타나스 왕국이 제시한 보상안은 앉아서 절하는 것과 마찬가지였다.

여전히 우리를 만만하게 생각하고 있나 보군.

쓴맛이 약했나 보네.

"거부합니다. 그런 보상안이 우리에게 어떤 혜택이 있는지 생각이나 하고 제시하는 겁니까? 아무리 우리 왕국이 만만해 보여도 그렇지, 어떻게 그따위 보상을 제시할 수 있습니까? 왕국으로 보낸 사과 서신을 보지 않아도 무슨 내용이 적혀 있는지 예상할 수 있겠군요. 다른 보상안이 있다면 지금 당장 제시해 주세요. 만약 다른 보상안이 없다면 브루니스 왕국은 타나스 왕국의 사과를 받지 않겠습니다."

강하게 말을 했지만 가르트 백작은 여전히 여유 있는 얼굴로 비꼬며 말했다.

"다른 상단들은 다 이 조건을 수락했는데 왜 유독 브루니스 왕국만 거절하는지 이유를 모르겠군요. 반대로 브루니스 왕국이 우리 타나스 왕국을 만만하게 보고 있는 게 아닌가 생각되는군요. 솔직히 이번 사건도 조용히 끝낼 수 있었는데 브루니스 왕국에서 긁어 부스럼을 만든 게 아닙니까. 사과를 한 것만으로 만족하시죠. 소국에게 사과를 하는 우리 입장을 한번 생각해 보세요."

그걸 왜 우리가 생각해야 된단 말인가. 범죄는 자신들이 저질러 놓고 입장을 봐달라고 하는 도둑놈 심보를 들어줄 수가 없었다.

"타나스 왕국의 공식 입장으로 알겠습니다. 사신단은 오늘 바로 돌아가도록 하겠습니다. 동맹은 우리가 타나스 왕국을 벗어남과 동시에 끝입니다."

"어허! 젊어서 그런지 공격적이군. 자네가 아직 어려서 국제 정세를 읽지 못하는 것 같은데. 우리 왕국과 브루니스 왕국이 전쟁을 하면 어떻게 되겠는가? 혹시 우리 왕국을 이길 수 있다고 생각하는 건 아니겠지? 우리도 지금 많이 참고 있는 거라네."

쾅!

분노가 차올라 문양이 활성화되었고, 책상은 주먹질 한 방에 두 조각이 났다.

"그만하십시오. 충분히 알아들었습니다. 협상을 담당한다는 것은 타나스 왕국의 공식 입장을 대변한다는 의미입니다. 앞으로 발생할 일은 가르트 백작님이 책임을 지십시오."

더는 타나스 왕국에 있을 이유가 없었다.

나는 돌아와 사신단 사람들에게 협상 테이블에서 있었던 대화를 전해주었고, 그들 모두 나와 같은 반응을 보였다.

"돌아간다. 타나스 왕국의 공기를 마시는 것만으로도 기분이 나쁘군. 다들 빠르게 정비를 해라."

기사들과 병사들은 아드몬드의 재촉에 순식간에 짐을 챙겼고, 브루니스 왕국으로 돌아가는 행군을 시작했다.

돌아가는 길에 아무도 입을 열지 않았다.

분노한 내 모습에 스승님조차 쉽사리 다가오지 못하고 있었다.

전쟁을 벌여야 할까? 그게 옳은 일일까?

당장은 서로를 무시하며 지낼 수 있다. 하지만 타나스 왕국이 제국의 꿈을 버리지 않는 한 우리 왕국을 가시처럼 여길 것이고, 언젠가는 전쟁이 벌어지게 된다.

차라리 지금 전쟁을 벌이는 것이 나을 것이다.

저들의 무장 수준이 더 높아지기 전에 말이다.

*　　*　　*

두 달간의 여정이 끝났다.

사과 서신은 받았지만 보상은 없었기에 반쪽짜리 성공이었다.

게다가 받은 사과마저 거부해야 했다. 굴욕적인 관계를 유지하면서까지 사과를 받고 싶어 하는 사람은 아다드 왕을 제외하고는 없었다.

"지금 상황에서 전쟁을 벌이는 것은 매우 위험하네. 여전히 악마의 탑이 왕국 곳곳에 입을 벌리고 있다네. 이런 상황에서 전쟁을 벌이면 우리 왕국의 미래가 흔들릴지도 모른다네. 그리고 타나스 왕국은 우리보다 영토가 10배는 큰 나라일세. 기사는 물론이고 병사들까지 우리보다 우세하다네. 우리가 그들을 상대로 전쟁을 선포하는 것은 주먹으로 바위 치기나 다름이 없다네."

타나스 왕국에서 돌아온 우리는 먼저 카인트 공작에게 상황을 보고했다.

서신을 통해 정보를 주긴 했지만 직접 얼굴을 보고 대화를 하는 것과는 천지 차이였다.

생각보다 카인트 공작은 냉정하게 반응했다.

불과 같은 성격을 가지고 있는 카인트 공작이 냉정하게 반응하는 이유가 있었다.

그는 이미 전쟁 준비를 하고 있었다. 항마 전쟁을 통해 각국의 군사력을 직접 눈으로 확인한 카인트 공작은 전쟁이 벌어지면 우리가 훨씬 유리하다는 사실을 알고 있었다.

이기지 못할 상대였다면 분을 삭여야 했겠지만 지금은 그럴 필요가 없었다.

분노를 느끼면 풀면 되는 것이다.

전쟁에 대한 자신감이 있는 카인트 공작은 아다드 전하를 진

정시켰다.

"전쟁은 벌어지지 않을 겁니다. 단지 우리의 능력을 보여주는 쇼가 될 겁니다. 우리의 군사력을 제대로 파악하지 못하고 소국으로만 생각하고 있는 타나스 왕국에게 경고를 해줄 필요가 있습니다. 그리고 부가적으로 다른 나라들도 우리나라의 능력을 알게 될 것이고 이번 같은 일이 다시는 발생하지 않을 겁니다."

북부의 귀족들은 아무도 카인트 공작의 말에 반대하지 않았다.

문제는 남부 귀족들이겠지. 그들은 카인트 공작의 말에는 항상 반대를 해왔으니.

"저는 카인트 공작의 말에 동의합니다. 더는 이렇게 웅크리고 있을 이유가 없습니다. 우리 왕국도 이제는 세계를 향해 전진해야 할 때가 되었습니다."

우리는 예상과는 전혀 다른 남부 귀족들의 반응에 당황했다.

남부 귀족들은 오히려 카인트 공작보다 더욱 적극적으로 환영했다.

저들이 이런 반응을 보이니까 괜히 걱정이 되네. 무슨 꿍꿍이지?

"이번 전쟁의 물자를 우리 남부에서 준비하겠습니다. 그리고 상황이 여의치 않으면 많은 수의 용병도 고용하겠습니다. 우리 상단도 적지 않은 무시를 받으며 지내왔습니다. 언젠가는 꼭 돌려주고 싶었습니다. 그리고 이번을 계기 삼아 우리 상단들도 세계를 상대로 상거래를 하겠습니다."

파이를 더 키우고 싶어서였군.

경매장을 통해 벌어들이는 수익은 상단의 수익과 비교가 되지 않는데, 그것에 눈이 뒤집어진 바 있는 남부 귀족들이었다. 경매장을 빼앗는 것은 현실적으로 불가능한 상황이었기에 대안으로 국내 시장에 국한되어 있던 상행위 범위를 넓혀 세계를 상대로 장사를 할 생각이었던 것이다.

그런 이유라면 이해가 가지.

그들에게도 이번 전쟁의 승리는 꼭 필요했다.

소국의 상단은 무시를 받게 마련이다. 하지만 대국을 상대로 승리한 국가의 상단을 무시할 수 있는 간 큰 사람은 없을 것이다.

오랜만에 남부와 북부의 의견이 일치했고, 빠른 속도로 무력시위에 대한 준비를 끝냈다.

무력시위를 하기 전의 단계가 있다. 바로 선전포고를 하는 것이다.

아다드 전하는 직접 서신을 작성했지만 카인트 공작이 그 서신 내용을 전면으로 수정하기를 요청했다.

너무도 얌전한 문장으로 구성되어 있는 서신은 선전포고용으로 어울리지 않았고, 카인트 공작이 나에게 서신의 작성을 맡겼다.

아다드 전하는 차마 자신의 손으로 서신을 작성할 용기가 없었는지 내가 대필을 하는 것을 허락했고, 나는 공격적인 문장과 단어를 사용해 서신을 작성했다.

*　　　*　　　*

타나스 왕국은 명성을 되찾기 위해 각국의 상단들에게 많은 혜택을 주었다.

관세를 낮춘 것은 물론이고, 상단에게 해가 되는 규제를 완화해 주었다.

한순간에 무너진 명성을 되찾는 것은 쉽지 않았고, 타나스 왕은 하루의 절반을 짜증을 내며 보냈다. 그의 짜증을 받아야 하는 귀족들도 웃을 수가 없었다.

"이 모든 일이 브루니스 왕국 때문이다. 찢어 죽여버리고 싶구나. 내 앞에서 당돌하게 말하던 자작 놈을 내 손으로 찢어 죽이지 않으면 화가 가시지 않을 것 같구나."

"브루니스 왕국에게 보상해 주지 않은 것으로 만족하십시오. 여전히 국제 정세가 우리를 좋지 않은 시선으로 보고 있습니다. 우리가 먼저 움직이는 것은 명성만 더욱 추락시키는 일입니다."

타나스 왕은 습관적으로 의자 모서리를 두드렸다.

"그런데 브루니스 왕국이 너무 조용하군. 새로운 협상안도 만들어놓았건만. 이대로 발을 뺀 것인가? 우리가 너무 그들을 강하게 봤던 것 같군. 꼬리를 만 강아지의 짖음에 과민 반응을 했어."

강아지에게 겁을 먹었다고 생각하니 더욱 기분이 상했다.

화를 풀 상대가 필요했고, 멀뚱히 서 있는 귀족들에게 소리를 지르려고 하는 순간 희소식이 들려왔다.

"전하! 브루니스 왕국에서 서신이 도착했습니다."

"무슨 내용이 적혀 있는지 읽어 보거라."

타나스 왕은 브루니스 왕국이 보상안에 관해서 서신을 보냈다고 생각했고, 큰 관심을 주지 않았다.

"항마 전쟁의 동맹국으로서 같이 전투를 치른 전우라고 생각했던 타나스 왕국의 그릇된 행동에 우리 브루니스 왕국의 국민들은 분노하고 있다. 서로 협력하는 시대를 만들기 위해 노력하는 모든 국가의 믿음을 배신한 타나스 왕국을 우리는 용서할 수가 없다. 여전히 우리 왕국을 그늘에 가려진 소국이라고 생각하며 무시하는 타나스 왕국에게 선전포고를 하는 것이 일국의 지도자로서 최우선으로 해결해야 할 과제라고 생각한다. 우리는 더는 참지 않는다. 오늘부로 우리는 적이다. 진정한 사과와 배상을 하지 않는 이상 전쟁은 불가피하다."

타나스 왕은 자리에서 벌떡 일어났다.

서신의 내용은 충격적이었다.

"감히 소국 따위가 우리를 상대로 선전포고를 걸어와? 이놈들을! 당장 전쟁을 준비해라. 저들에게 우리의 힘을 보여주어야 한다. 우리가 먼저 전쟁을 벌일 수는 없지만 걸어오는 전쟁을 피할 이유 따위는 없다."

타나스 왕은 말을 할수록 이번 전쟁이 잃어버린 명성을 되찾을 수 있는 기회라고 생각되었다.

'이번 전쟁을 압도적으로 이기기만 한다면 우리는 제국으로 가는 지름길을 찾게 되는 것이다. 고마워해야 하나? 그래, 이번

전쟁을 끝으로 우리는 제국이 되는 것이다.'

"이번 전쟁은 최대한 신속하게 끝내야 한다. 시간을 끈다면 우리의 군사력이 의심받게 된다. 모든 영주는 기사와 병사들을 아끼지 말고 전쟁에 참전시켜라. 타나스 왕국의 무서움을 다시 한번 세계에 선보일 절호의 기회다. 이번 전쟁에서 가장 큰 공을 세우는 사람에게는 브루니스 왕국의 경매장의 전권을 주겠다."

이미 브루니스 왕국과의 전쟁에서 승리했다고 생각하는 타나스 왕이었다.

항마 전쟁에 참전한 경험이 있는 귀족들은 이번 전쟁이 타나스 왕이 생각하는 것처럼 쉬운 전쟁이 되지 않을 거라고 생각하긴 했지만 패배는 생각지도 않고 있었다.

단순히 숫자만 보더라도 상대가 되지 않았다.

기묘한 무기들을 가지고 있는 브루니스 왕국이었지만 압도적인 숫자 차이는 무기로 메꿀 수 없다고 생각하는 것이 당연했다.

제국이 되기 위해 이전부터 병사 양성을 독려한 타나스 왕이었고, 영주들은 타나스 왕의 의지에 따라 많은 수의 병사를 양성해 왔다.

모든 국가의 이목은 이번 전쟁에 집중되었다.

연합국이라는 이름으로 모인 지 몇 달이 지나지 않아 일어난 전쟁이었기에 이번 전쟁을 우려하는 국가들도 있었고, 전쟁을 통해 앞으로의 노선을 정하려고 하는 나라도 있었다.

모든 국가의 생각은 제각각이었지만 하나의 공통점은 있었다.

전쟁에 개입하지 않겠다는 선언을 한 것이다. 이번 전쟁에서 한쪽 손을 들어준다고 하더라도 이득이 될 것이 없다는 판단이 내려졌기 때문이다.

만약 타나스 왕국을 도와 브루니스 왕국을 멸망시킨다면 타나스 왕국은 다른 왕국들을 제치고 가장 먼저 제국이 될 확률이 높았다. 타나스 왕국 앞에 제국이 되기 위한 발판을 직접 놓아주고 싶은 국가는 없었다.

그리고 브루니스 왕국이 아이템 경매로 인해 명성을 높여가고 있긴 했지만 굳이 도와줄 이유는 없었다. 만일 브루니스 왕국을 도왔다는 소문이라도 난다면 타나스 왕국의 다음 타깃이 될 것이 뻔했기에 모든 국가는 눈과 귀만 전쟁에 투입하고 몸은 방 안에 웅크리고 있는 실정이었다.

이런 상황은 우리가 원했던 것이었다.

물론 지금의 분위기는 브루니스 왕국이 패배할 가능성을 더 높게 점치고는 있었지만, 뚜껑을 열어보면 다른 결과물에 놀라고 말 것이다.

병력의 수는 압도적인 열세다.

하지만 전쟁은 단순한 숫자 놀음이 아니지. 인해전술이 가장 우월한 전략이었다면 진즉에 중국이 세계 통일을 했겠지.

100명의 사람을 대신할 수 있는 무기가 우리에게 있다.

전쟁의 패러다임을 바꿀 자신도 있었다.

"형님, 전에 타나스 왕국으로 갈 때 타던 마차는 어디로 갔습니까. 안락하고 편안했는데, 없으니까 아쉽습니다."

내가 정성을 다해 만든 마차를 딴 사람의 편의를 위해 사용하게 둘 수는 없지.

마차는 보관 상자 안에 고이 들어 있었다. 마차가 밖으로 나오기 위해서는 이 지독한 수련이 끝이 나고 내가 마차를 탈 수 있을 때가 되어야 하지.

스승님은 아무리 말려도 전쟁에 굳이 따라나섰다.

목표는 오로지 하나. 내가 스스로 수련을 하지 않는다는 이유였고, 행군 도중에도 끊임없이 나를 괴롭혔다.

얼마나 심하게 나를 굴렸으면 왕국에서 알아주는 수련광인 카인트 공작이 말릴 정도겠는가.

그래도 효과가 없는 건 아니었다.

고리의 크기는 더욱 커졌고, 색도 바뀌었다.

이제는 청록색의 고리는 더 많은 에너지를 뿜어내었고, 그 에너지는 문양의 능력을 더욱 활성화시켰다.

단순히 힘만으로는 브로안에 비해 떨어지지만 이제는 웬만한 기사 10명이 달려들어도 충분히 상대할 자신이 있었다.

떨어지는 전투 기술은 압도적인 육체 능력으로 커버하기에 가능했다.

"너는 형님이 이렇게 힘들게 행군을 하는데 편하게 가고 싶다는 생각이 드냐? 내 발에 달려 있는 족쇄가 안 보여?"

수련을 방자한 고문이 나한테 행해지고 있었다.

스승님이 특별히 공방에 의뢰해 만든 족쇄의 무게는 내 몸무게와 비슷했다.

한 걸음 걸을 때마다 바닥에 발자국이 진하게 생길 정도였는데 하루에도 몇 번씩 기절을 하고 싶다는 생각이 들게 하는 무게였다.

"저랑은 스승님이 다르잖아요. 카인트 공작님은 그런 무리한 수련은 지양하는 분이시라서요. 저는 인복이 없다고 항상 생각했는데, 스승복은 있는 것 같아요."

이걸 때려줄 수도 없고. 때리면 내 손만 아프겠지.

"그런데 타나스 왕국은 배짱이 강한 건지, 아니면 우리를 얕보고 있는 건지 공성전을 아예 배제했네요."

"우리를 얕보고 있는 거지. 공성전을 하면 어쨌든 자신들의 성벽이나 영지가 파괴될 가능성이 있으니까. 완벽한 이득을 취하려고 하는 거지. 우리가 자신들을 이길 가능성이 전혀 없다고 판단되니 그런 결정을 내린 거구. 그 판단에 눈물 흘리게 되겠지."

첫 전투가 멀지 않았다.

전투지는 타나스 왕국이 공성전을 포기한 순간 정해졌다.

다른 나라의 영토에서 전투를 치를 수는 없었고, 당연히 버려진 땅이라고 불리는 파트만 초원에서 전투가 예정되었다.

파트만 초원이 버려진 이유는 농작지로 쓸 수 있는 땅이 아니었기 때문이다.

사막화가 진행되고 있는 초원에는 사람은 물론이고, 동물도 살지 않았다.

전쟁을 벌이기에는 최적화되어 있는 땅이다.

그렇게 우리는 파트만 영지로 행군했고, 타나스 왕국과 비슷한 시각에 도착할 수 있었다.

전투는 바로 일어나지 않는다. 명분을 세우기 위해 사신을 서로 보내고, 두 국가 전부 항복할 의사가 없다는 것이 확인된 후에야 전투가 벌어진다.

우리보다 조금 더 일찍 도착한 타나스 왕국에서 사신을 보내왔다.

사신으로 온 사람의 이름은 기억이 나지 않았지만, 얼굴은 본 적이 있는 사람이었다.

"타나스 왕국의 사신으로 루사민 부기사단장이 왔습니다."

부기사단장이면 사신으로 보내기 적합한 인물이다.

핵심 인물은 아니지만 그렇다고 해서 차지하는 비중이 적지도 않은 직책이 부기사단장이다. 그가 무슨 말을 할지는 이미 예상되었지만, 그래도 들어보았다.

카인트 공작과 아드몬드 또한 사신에게 별로 집중하지 않고 있었다.

이미 전쟁이 시작된 시점에서 사신을 들이는 것은 귀찮은 일 중 하나일 뿐이었다.

"타나스 왕국은 대국의 아량으로 항복을 받아들일 준비가 되어 있습니다. 전쟁의 승패는 이미 정해져 있는 상황에서 불가피한 피해를 줄이고자 합니다. 병사들을 아끼는 마음이 조금이라도 남아 있다면 백기를 들어주십시오."

부기사단장이 지금 하는 말을 누가 알려줬는지는 모르겠지만 우리를 열 받게 하려는 의도였다면 성공이었다.

홍분을 가시지 못해 애꿎은 책상 모서리만 움켜지고 있는 카인트 공작, 그리고 옆에서 얼굴을 찡그리고 있는 아드몬드까지 모두 속으로 화를 삭이고 있었다.

저런 저급 도발에 당하면 안 되지. 브로안의 도발 능력을 옆에서 봤으면서 저런 도발에 홍분을 하다니.

"제안을 거절하네. 이만 나가보게나."

긴 대화를 하고 싶지 않았기에 카인트 공작은 최대한 빨리 사신을 돌려보내려고 했다.

사신은 지휘부 막사를 나가면서 끝으로 한 마디를 더 했다.

"사신을 보내실 필요는 없습니다. 제가 돌아가면 바로 전쟁이 시작될 것입니다."

사신을 보내는 이유는 항복을 권유하기 위해서다.

사신의 방문을 허락하지 않겠다는 이유는 많겠지만 타나스 왕국이 거부한 이유는 우리가 자신들에게 항복을 권유할 위치가 아니라는 것을 돌려서 말한 까닭이다.

할 말을 끝낸 타나스 왕국의 사신은 말을 타고 곧장 자기 진영으로 돌아갔다.

"화를 푸십시오. 결국 승리는 우리의 것입니다. 화풀이는 전쟁을 이기고 해도 늦지 않습니다."

"후! 빨리 전투가 벌어졌으면 좋겠구나. 직접 적을 베지는 못하겠지만 대리 만족이라도 하고 싶구나."

전투가 벌어진다고 하더라도 우리의 손에 피를 묻히지는 않을 것이다.

원거리 무기의 효율성을 극대화하기 위해서 우리는 거리를 유지하며 전투를 치러야 했고, 당연히 전면전은 한참 시간이 지나서야 가능했다.

어쩌면 전면전을 치르지 않고 전쟁이 끝날 가능성도 있었다.

항마 전쟁을 치르면서 공성 무기의 무서움을 옆에서 지켜본 타나스 왕국이었다.

하지만 옆에서 보는 것과 직접 당하는 것은 큰 차이가 있다.

두려움을 느끼는 입장이 아니었기에 학습을 하지 못한 것이다.

그러니 이런 초원에서 우리를 기다리고 있는 타나스 왕국이었다.

*　　　　*　　　　*

사신이 적 진영에 돌아가는 모습을 망원경으로 지켜봤다.

이제는 전투가 시작할 시간이 되었다. 우리 진영의 병사들은 긴장을 하고 있었지만 두려움이나 공포심은 전혀 느끼지 못하고 있었다.

적의 모습이 멀리 보였기에 긴장할 이유가 없었다.

우리는 보관 상자에 담아 온 원거리 무기들을 차곡차곡 꺼내 조립을 했고, 수백 대의 원거리 무기가 작동을 기다리고 있었다.

아직 모든 원거리 무기를 꺼내지도 않았다.

첫 전투에서 모든 것을 쏟아부을 생각은 없다.

브루니스 왕국에 있는 무기 공장은 매일같이 새로운 무기를 쏟아내었고, 그 모든 무기를 전부 보관 상자에 담아 가지고 왔다.

타나스 왕국의 사신은 우리 진영에 들어와서 눈을 부라리며 우리의 무장 상태와 무기의 종류를 파악했겠지만 보관 상자 안에 들어 있는 원거리 무기들을 발견하지 못했다.

아마 우리가 무기를 제대로 보유하지 못하고 분노에 미쳐 전쟁을 벌인다고 생각하겠지.

이제 준비는 끝났다. 우리의 능력을 보여줄 시간이다.

"공작님, 모든 무기의 장전을 마쳤습니다. 이제 발포 명령을 내려주십시오."

카인트 공작은 조용히 하늘을 봤다.

아직 진정이 되지 않은 마음을 다스리고 있는 것 같았다.

"날씨가 좋군. 승전보를 울리기 딱 좋은 날씨야. 모든 무기의 발포를 승인한다."

승인 명령이 떨어졌고, 지휘관들은 지정받은 중대로 뛰어갔다.

그들은 무기의 발포 준비 명령을 내리고는 나무 구조물에 서 있는 병사의 손에 들린 깃발을 바라봤다.

"발포해라!"

카인트 공작이 소리치자 깃발은 위아래로 펄럭였고, 그 신호에 맞춰 투석기들은 둔탁한 소리를 내며 발포를 시작했다.

가장 간단히 만들 수 있는 원거리 무기인 투석기는 항마 전쟁이 끝나고 많은 발전을 이루었다. 사정거리가 늘어난 것뿐만 아니라 정밀도도 올라갔다.

이제는 예비 사격으로 불필요한 발포를 할 필요도 없었다.

말을 타고도 한참이나 달려야 도착할 수 있는 거리만큼 떨어져 있는 타나스 왕국의 진영. 하지만 투석기의 사정거리 안에 들어 있었고, 하늘을 수놓으며 떨어지는 바위들을 넋 놓고 바라만 보고 있었다.

투석기에 사용되는 바위들도 강화 작업을 마쳤다.

바위는 살상력을 높이기 위해 발사 후 일정 시간이 지나면 폭발과 함께 수류탄처럼 넓게 퍼져 나가게 강화했다. 바위 한 개의 파괴력만으로 한 개의 소대를 초토화시킬 정도였다.

현실감이 없는 장면이었다.

바위 조각을 피해 몸을 날리는 타나스 왕국의 병사들.

우왕좌왕. 제대로 명령을 내리는 지휘관이 없는지 피해는 더욱 커져만 갔다.

몇 소대는 방패를 들어 바위 조각을 방어하려는 모습도 보였지만 극소수였다.

망원경을 가지고 있는 소수의 사람들만이 이 장면을 지켜봤다.

병사들은 자신들이 쏘아 올린 바위가 어떤 피해를 만들어 내는지 예상만 할 뿐이었다.

"한 번의 발포만으로 혼란에 빠지다니. 누가 지휘를 하고 있는지 모르겠지만 지휘관의 능력이 매우 떨어지는구나."

"이런 전쟁을 치러본 적이 없으니 당연한 결과입니다. 우리가 반대의 입장이었다 해도 별반 다르지 않았을 겁니다."

"결국 진 자작, 자네가 만든 무기가 얼마나 강력한지 자랑을 하는 것이군. 그래, 자랑할 만도 하지. 자네가 아니었다면 나도 이런 무기가 있을 거라고 상상도 하지 못했을 것이네. 아무런 피해도 입지 않고 일방적인 이득만 취할 수 있는 전투가 있을 거라고 누가 예상이나 했겠는가."

카인트 공작은 남부 귀족들을 토벌하면서 이미 공성 무기의 무서움을 약간이나마 맛봤기에 지금의 결과를 예측할 수 있었다. 하지만 다른 지휘관들은 지금의 상황에 눈을 비비며 놀라워했다.

"한 번 더 발포하고 이동하는 것이 좋겠습니다. 약간의 머리라도 돌아가는 사람이 지휘관이라면 후퇴를 하지 않겠습니까."

공성 무기의 치명적인 단점인 재장전 시간도 개량했다.

병사들도 많은 연습을 통해 능숙하게 재장전을 하는 법을 익혔다.

아직 혼란이 가시지도 않은 타나스 왕국에게는 좋지 않은 소식이었지만, 이미 재장전은 끝나 있었다.

"발포하라!"

다시 발포 명령이 떨어졌고, 하늘에서 떨어지는 바위의 향연에 타나스 왕국은 속수무책으로 당했다. 그리고 우리의 예상대로 급히 후퇴를 하는 타나스 왕국이었다.

막사를 버리고 갈 정도로 그들은 다급히 이동했다.

여전히 병사의 수는 저들이 우리보다 몇 배는 앞섰지만 전쟁의 흐름은 우리에게로 넘어왔다.

*　　　*　　　*

타나스 왕국의 지휘부 회의는 막사 하나 없이 열렸다.

모든 병사들은 망연자실해 있었고, 무기도 제대로 챙기지 못하고 후퇴한 병사들도 적지 않았다. 사기는 땅으로 떨어져 있었고, 전혀 생각지도 않았던 상황에 지휘관들도 할 말을 잃었다. 하지만 이대로 당하고 있을 수만은 없었다.

제국으로 가는 길을 열려는 숭고한 전쟁을 포기할 수는 없었다.

타나스 왕국 진영의 최고 사령관인 푸만드 백작은 다른 지휘관들을 다그치며 방안을 요구했다.

"브루니스 왕국에서 괴상한 무기를 가지고 있다고 미리 알고 있지 않았는가. 이번 전투를 통해 저들의 무기의 능력을 확인했다고 생각하게나. 전쟁은 아직 끝나지 않았네. 백기를 올리기 전까지는 절대 포기해서는 안 되네. 저들을 상대할 방법을 말해보게나. …다들 벙어리라도 된 것인가? 어서 말해보래도!"

"우리의 장점을 살려야 합니다. 브루니스 왕국은 원거리 공격이 가능합니다. 하지만 병사의 수가 많지 않습니다. 저들을 이기기 위해서는 근접전을 벌여야 합니다. 이렇게 후퇴를 해서는 답이 없습니다. 피해를 입더라도 거리를 좁혀야 합니다."

"하지만 저들이 가지고 있는 무기의 사정거리가 너무 깁니다. 다가가기도 전에 전멸할 수도 있습니다."

"저들이 전쟁을 준비한 지는 오래되지 않았습니다. 분명 충분한 물자를 가지고 오지 못했을 겁니다. 오늘 같은 공격은 더는 하지 못할 수도 있습니다."

푸만드 백작은 의견을 종합했다.

"거리를 좁혀야 한다는 의견에 나도 동의한다네. 그리고 우리는 많은 수의 기사를 보유하고 있지. 기사들로 저들에게 혼란을 줘야겠네. 기사들을 이용한다면 저들의 무기를 소비시킬 수 있을 게야. 그리고 난 다음에 전면 돌격을 지시하겠네."

일방적인 전투는 끝이 났다. 병사들은 물론이고 기사들까지 전쟁 특유의 열기에 취해 있지 않았다. 제대로 검을 휘두르지 않고 따낸 승리였기에, 현실감이 느껴지지 않았던 것이다.

이렇게 전쟁을 이기는 것도 나쁘지 않지. 꼭 검에 피를 묻힐 필요는 없잖아.

"진 자작! 타나스 왕국의 병력이 움직이기 시작했네."

우리는 무기의 사정거리만큼 거리를 유지하고 있는 상황이었고, 열기구를 이용해 적 진영의 일거수일투족을 감시하고 있었다.

그리고 드디어 타나스 왕국이 움직였다.

완전히 후퇴를 하거나, 아니면 배수의 진을 치고 우리에게로 공격해 들어오거나.

두 가지 방법 모두 우리에게는 이득이었다.

개인적으로는 후퇴를 하는 것을 원했다. 우리가 원하는 것은 진심이 깃든 사과였다.

아니, 진심이 없어도 괜찮았다. 패배 선언을 하기만 한다면 브루니스 왕국의 명성은 높아질 것이고, 우리의 힘을 세계에 알릴 수 있으니.

하지만 타나스 왕국은 후자를 택했다.

많은 수의 병사들을 잃을 수도 있는, 우리를 공격하려는 최악의 방법을 말이다.

그 방법이 왜 최악인지는 지금 한참 조립을 하고 있는 무기가 설명해줄 것이다.

"석궁의 조립은 얼마나 진행되었죠?"

"80% 이상 끝이 났습니다. 30분 안에 조립을 마칠 수 있습니다."

투석기는 최장거리의 무기였지만 석궁은 조금 달랐다.

일반적인 석궁이라면 활보다도 사정거리가 떨어지는 무기지만, 우리가 지금 조립하고 있는 무기는 일반 석궁의 10배나 되는 크기를 가지고 있었다.

그런 석궁의 줄은 물론이고 몸체까지 전부 강화시켰다. 석궁의 줄은 일반적으로 탄성이 높은 재질의 가죽이나 끈을 이용하지만 거대 석궁의 경우는 금속으로 만들어져 있다.

그랬기에 투석기만큼은 아니지만 뛰어난 사정거리를 가지고 있었고, 파괴력은 오히려 투석기보다 더 높았다.

석궁을 만든 이유는 투석기의 단점을 보완하기 위해서였다.

거대 석궁의 화살은 특수한 성질을 가지게끔 만들었다. 화살은 관통성은 높지만 대량 살상이 가능한 무기는 아니었다.

하지만 우리가 만든 거대 석궁은 관통력을 포기한 대신 공간을 장악하기 위한 능력을 가지고 있다. 인해전술로 밀어붙이는 부대를 상대로 카운터를 치기 위해 만든 무기였다.

기관총을 모티브로 만든 거대 석궁이다. 기관총은 사람을 조준해서 발사하는 것이 아니라 공간을 보며 발사한다. 넓은 탄착군으로 공간에 들어오는 모든 것을 파괴해 버리는 것이다.

"거대 석궁의 발사 준비가 끝났습니다."

원거리 무기 대대의 준비가 끝났다. 투석기는 물론이고 거대 석궁까지. 이제는 발포 명령만이 남았고, 카인트 공작은 망원경으로 적 진영을 확인하며 발포 명령을 내렸다.

퍽!

투석기가 발포되었다. 거대한 바위들이 산개하며 타나스 왕국의 병력을 향해 쏟아졌다.

계속해서 적 진영을 망원경으로 들여다보던 카인트 공작이 갑작스레 발포 중지 명령을 내렸다.

"지금 움직이는 병력들은 전부 기사단들이다. 우리가 무기를 소비하기 위한 작전 같다."

우리도 비슷한 작전을 사용한 적이 있었다. 남부와의 내전을 통해 배운 전투 경험이 지금 빛을 발휘했다.

"일반 바위를 발포해라!"

강화된 바위의 재고는 그렇게 많은 편이 아니었지만, 일반적인 바위는 주변에 널리고 널렸다. 병사들은 거중기를 이용해 바위를 투석기로 옮겼다.

전투를 위해 대동한 병사들이 노동만 하고 있는 것이다.

병사들은 지금의 상황에 웃어야 할지, 울어야 할지 갈피를 잡지 못하는 것처럼 보였다.

죽음의 위험보다는 노동을 하면서 땀을 흘리는 것이 훨씬 나을 건데. 불평들은…….

미리 준비를 하지 못했던 상황이었기에 투석기의 재장전 시간은 이전보다 오래 걸렸다.

주변에 있는 바위를 옮겨 와야 했기에 투석기의 발포 소리는 띄엄띄엄해져서 우리가 자원을 대부분 소모했다고 타나스 왕국이 착각할 만한 상황이었다.

"타나스 왕국의 전 병력이 움직인다. 다시 바위를 교체해라!"

기사단은 물론이고 보병들까지 동시에 움직이는 장면은 메뚜기 떼가 움직이는 것처럼 보였다. 확실히 엄청난 병력이 동시에 움직이는 장면에 위압감이 들었다.

살충제를 뿌려야겠네.

"발포해라!"

투석 명령은 다시 떨어졌고, 살상력이 높은 바위가 하늘에서 떨어지자 적 진영이 당황스러워하는 것이 눈에 보였지만 이전처럼 후퇴를 하지는 않았다.

정말 배수의 진을 친 것이다.

투석기의 사정거리에서 가장 먼저 벗어난 것은 역시 타나스 왕국의 기사단이었다.

말들은 서로의 발을 맞추며 우리를 향해 빠른 속도로 다가왔다.

“석궁을 발포해라!”

거대 석궁은 쇠를 긁는 소리를 내며 발사되었고, 화살은 기사단의 앞까지 날아가다 폭발했다. 안에는 아크타르 폭탄과 쇠구슬들이 들어 있었다. 쇠구슬들은 아크타르의 폭발력에 의해 사방으로 날아가며 주변을 초토화시켰다.

폭탄이 떨어진 주변에 있던 말의 몸에는 수십 개의 쇠구슬이 박혔고, 절반 이상의 기사가 이동 불능 상태에 빠졌다.

쇠구슬이 직격해 죽은 기사들은 그래도 고통을 많이 느끼지는 않았을 것이다. 하지만 말에 깔려 몸을 움직이지 못하는 기사들은 고통스러운 신음을 내며 전장을 시끄럽게 만들었다.

타나스 왕국의 지휘부는 기사단이 전멸에 가까운 피해를 입은 것을 모르는지, 아니면 모른 척하는 건지 병사들을 후퇴시키지 않았고, 억지로 우리를 향해 밀어 넣었다.

투석기의 사정거리를 벗어난 병사의 수는 1/3도 되지 않아 보였다.

하지만 그 숫자만으로도 우리의 전 병력보다 많은 수였다.

숫자를 더 줄여줘야만 저들은 패배를 선언할 것이다,

“석궁을 발포하라.”

석궁 하나가 장악할 수 있는 공간은 2개 소대 정도였다.

30대가 넘는 거대 석궁을 가지고 있었지만 모든 공간을 장악하기는 어려웠다.

운 좋게 거대 석궁이 장악하는 공간을 피해 우리에게 접근한 병력이 보이기 시작했다.

하지만 그들은 이미 정상이 아니었다. 동료들이 죽어가는 모습에 분노한 병사들도 있었지만 전의를 상실한 병사들이 더욱 많았다.

사기가 떨어진 병사들의 공격에 피해를 입을 정도로 브루니스 왕국의 병사들이 약하지는 않다. 가지고 있는 무기의 성능을 전장에서 시험해 보고 싶어 안달이 난 사람들이 브루니스 병사들이었고, 그들은 공격 명령이 떨어지자 한 마리의 야수가 되어 적을 향해 달려갔다.

먼 거리를 달려왔기에 지친 타나스 왕국의 병사들은 제대로 방어도 해보지 못하고 싸늘한 시체가 되어 사막화가 진행 중인 초원의 거름이 되었다.

"전 병력은 돌격하라!"

타나스 왕국의 병력 모두가 석궁의 사정거리마저 뚫고 들어왔다.

이제 숫자 싸움에도 우위를 가지고 있는 쪽은 우리였다.

무장 상태는 물론이고 숫자에서까지 우위를 점하게 되었기에 돌격 명령을 내리지 않을 이유가 없었다.

브루니스 병사들이 휘두르는 검을 막기 위해 타나스 왕국의 병사가 검을 들어 올렸지만 성능 차이로 인해 검이 두 동강이 났고, 다음 공격에 목을 내주고 말았다.

일방적인 학살로 진행되고 있는 전쟁을 종식시키기 위해서는 타나스 왕국의 지휘부를 죽이거나 잡아야 한다.

그 역할은 아드몬드와 블루 웨이브 기사단이 맡았다.

철갑 갑옷을 두르고 있는 말을 타고 이동하는 그들은 악귀였다.

우리에게는 든든한 아군이었지만 타나스 왕국의 입장에서는 피에 굶주린 악귀였다.

"우리의 길을 막지 마라! 살고 싶으면 도망가라!"

주변에 보이는 모든 것을 부수며 전진하는 블루 웨이브 기사단은 쓰나미가 되어 적진을 뚫고 들어가 얼마 남지 않은 기사들에게 호위를 받고 있는 지휘부에 돌격했다.

"항복해라!"

속도를 늦추지 않고 달려드는 블루 웨이브 기사단은 짧게 항복을 권유했지만 생각할 시간은 주지 않았다.

바로 항복하지 않는다면 학살뿐이다.

불행하게도 타나스 왕국의 지휘부는 결정 장애가 있었다.

블루 웨이브 기사단이 코앞까지 다가왔지만 백기를 들 생각도, 그렇다고 제대로 반항도 하지 못했다. 결국 그들은 피로 물든 검을 눈에 새겨야 했다.

그렇게 초원 전쟁은 이틀 만에 끝이 났다.

* * *

이번 전투에서 살아남은 타나스 왕국의 포로들을 계급에 따라 분류했다.

"아니, 이게 누구십니까. 푸만드 백작님이 여기에 다 있으시고, 우리가 모르는 사이 일반 병사로 강등을 당한 겁니까? 타나스 왕국이 이렇게 빠르게 책임을 묻는지 몰랐네요."

타나스 왕국의 최고 사령관인 푸만드 백작은 직위에 어울리지 않게 피가 잔뜩 묻은 옷을 입고 있었다. 죽은 병사의 옷을 급히 빼앗아 입었는지 사이즈도 맞지 않았다.

그는 상대적으로 느슨한 감시를 받고 있는 포로 병사들이 있는 곳으로 가기 위해 고개를 숙이고 걸어갔지만 그의 얼굴을 알고 있는 기사가 그를 발견했다.

"예우를 부탁한다."

기사는 그를 끌고 우리 앞으로 데리고 왔는데 푸만드 백작이 우리를 보고 처음 한 말이 예우를 바란다는 말이었다.

"예우를 부탁하면 들어줘야죠. 그런데 편히 쉬실 수나 있을지 모르겠습니다. 굳이 죽지 않아도 되는 병사들을 죽음으로 밀어 넣었으니 악몽을 꾸지 않겠습니까."

"너희들이 우리 병사들을 죽이지 않았던가. 그것이 왜 내 잘못이냐!"

책임 회피.

감당하기 힘든 일을 당하면 직위를 막론하고 책임을 피하기 위해 변명을 하거나, 책임을 떠넘긴다.

"제 귀가 잘못되지 않았다면 우리가 사신을 보내는 것을 거부한 사람이 푸만드 백작, 당신으로 기억하는데, 제가 틀렸습니까?"

"그… 그건!"

푸만드 백작은 체념을 한 듯 입을 닫아버렸다.

굳이 그의 입을 열게 할 이유는 없었다.

그에게서 사과를 받고 싶지도 않았고, 그가 그 정도 위치에 있는 사람도 아니니까.

여러 국가들이 이번 전쟁에 집중했고, 많은 첩보원들이 전장 주위에 숨어들어 전쟁을 구경했다. 곧 그들이 본 것을 적은 서신이 각국의 수도로 날아갔다.

다른 나라에게 우리의 힘을 보여준 전쟁이었기에 만족스러웠다.

하지만 그림에 아직 여백이 남아 있었다.

여백을 채우기 위해서는 우리가 직접 타나스 왕국으로 가야 했다.

자존심을 목숨보다 소중히 여기는 타나스 왕국의 국왕이 한 번의 전쟁에서 패했다고 백기를 들지는 않을 것이다.

그에게 우리의 힘을 보여주어야 했다.

하지만 바로 타나스 왕실을 향해 이동할 수는 없었다. 포로들은 데리고 이동할 수 없었기에 브루니스 왕국으로 압송했고, 전투에 지친 병사들에게는 휴식을 주었다. 우리는 초원에서 보름 정도 재정비를 한 후 타나스 왕국으로 진격하기로 결정했다.

병사들은 전투와 노동을 하지 않는 진정한 휴식을 취하게 되자 웃음꽃을 피우며 전쟁에서 자신들이 얼마나 활약했는지를 자랑하며 시간을 보냈다.

병사들이 신나게 이야기꽃을 피우고 있을 때 우리도 손님을 맞이해야 했다.

손님은 중립을 선언했던 국가들에서 보내온 사신이었다.

그중 우리를 가장 먼저 찾아온 사람은 탄트 왕국에서 보낸 사신이었다.

"이번 전쟁에 브루니스 왕국을 돕고 싶습니다. 브루니스 왕국이 타나스 왕국에게 큰 피해를 입힐 수는 있으시겠지만 점령지를 다스리기 위해서는 많은 병력을 가지고 있는 우리 왕국과 공조를 하는 것이 가장 좋은 방법일 겁니다."

"나는 병력들을 이끌고 있는 사령관이네. 외교 권한은 나에게 부여되지 않았네."

"그렇지 않습니다. 이미 브루니스 왕실에게 서신을 보냈었습니다. 여기 브루니스 왕실에서 보내온 답신입니다."

브루니스 왕실의 인장이 찍혀 있는 서신에는 이번 전쟁에 관련된 모든 사항을 카인트 공작에게 위임한다는 내용이 있었다.

엄청난 행동력을 보인 탄트 왕국이었다.

그들은 아마 전쟁이 벌어지기 전에 경우의 수를 대비해 여러 가지 작업을 해두었을 것이다. 만약 타나스 왕국이 전투에서 승리했다면 타나스 왕실과 손을 잡으려고 했겠지.

양 국가에게 보낼 서신을 미리 작성해 놓았을지도 모른다.

이런 행동력을 보인 국가라면 그럴 가능성도 충분했다.

기회주의자 성향이 강한 국가였지만 그들의 행동은 현명했다.

그리고 우리에게 매력적인 제안이기도 했다.

그들의 제안을 수락하면 타나스 왕국을 점령할 수 있을지도 모른다.

전쟁에서 이기는 것과 땅을 점령하는 것은 달랐다.

땅을 지배하기 위해서는 게릴라전에도 대비해야 했고, 많은 수의 병사들이 필수적으로 필요했다. 그랬기에 탄트 왕국과 동맹을 맺지 않는다면 타나스 왕국의 땅을 점령하지 못할 것이다.

엄청난 크기의 땅을 보유하고 있는 타나스 왕국이었고, 두 국가가 나눠 먹는다고 치더라도 현재 브루니스 왕국의 영토보다 훨씬 큰 땅을 가질 수 있다.

좁은 영토에 갇혀 살아온 브루니스인들이라면 넓은 땅을 동경한다.

하지만 지금은 아니다.

굳이 한 국가를 사라지게 하고 싶지는 않았다.

타나스 왕국의 행동이 괘씸하긴 했지만 우리가 원하는 것은 우리를 알리고, 그에 합당한 배상을 받는 것이었다.

다음에도 이런 일이 발생한다면 모르겠지만 지금은 아니었다.

"이번 전쟁을 길게 끌고 싶은 생각은 없습니다. 타나스 왕실에게 사과를 받으면 우리는 그대로 돌아갈 생각입니다. 만약 그들이 계속해서 우리의 마음에 들지 않는 행동을 한다면 그때 다시 동맹을 생각해 보겠습니다."

카인트 공작도 나와 같은 생각을 가지고 있었기에 여러 국가들의 동맹 제안을 거절했다.

형세는 뒤집혔다.

언제나 자신만만하던 타나스 왕국이었지만 왕국의 정예들이 참전한 전쟁을 대패하게 되자 어찌할 바를 모르고 우왕좌왕하고 있었다.

우리가 타나스 왕국의 근처까지 왔는데 아무런 움직임을 보이지 않는 것만 봐도 그들이 얼마나 당황했는지 알 수 있었다.

"이때쯤이면 무슨 반응을 보여야 하는데 너무 조용하군. 수동적으로 움직이겠다는 건가?"

카인트 공작은 타나스 왕국이 이렇게 수동적으로 움직인다면 공성전도 벌일 생각을 하고 있었다. 물론 공성전이 방어 측이 유리한 전쟁이긴 하지만, 압도적으로 차이가 나는 무기 성능의 차이는 공성전의 유리함을 앗아가기에 충분했다.

하지만 전쟁은 이쯤 멈추는 게 좋았다.

모든 일에는 정도가 있었다. 작지 않은 사건을 벌이고도 제대로 사과를 하지 않은 타나스 왕국이 괘씸하긴 했지만 그 일이 왕국을 멸망시킬 정도는 아니었다.

국제 정세를 우리에게 유리하게끔 이끌기 위해서는 지금이 딱 적당했다.

너무 과하게 손을 쓰면 오히려 좋지 않은 이미지를 가질 수도 있었다.

“제가 사신으로 다녀오겠습니다.”

“안 되네. 자네가 갔다가 잘못되기라도 하면 우리 전력이 큰 무리가 생기네. 예전이야 전쟁 상황이 아니었으니 자네를 타나스 왕실에 보냈지만 지금은 다르네.”

카인트 공작이 나를 걱정하는 것이 이해가 갔다.

브루니스 왕국이 타나스 왕국을 이렇게 압박할 수 있는 데는 내 도움이 가장 컸다.

그리고 아직 공략하지 못한 악마의 탑을 위해서라도 내가 필요했다.

타나스 왕실로 들어가는 것이 위험하다는 것을 나도 잘 알고 있었다.

“분신을 이용해 다녀오도록 하겠습니다. 저들은 제가 분신을 이용한다는 것을 모를 테니 충분히 효과가 있을 겁니다.”

만약 타나스 왕실이 내 분신을 죽이려고 한다면 전쟁을 피할 수 없었다.

타나스 왕실에게 주는 우리의 마지막 기회라고 볼 수도 있었다.

“그렇다면 허락하겠네.”

카인트 공작의 허락이 떨어졌고, 소규모의 사신단이 꾸려졌다.

분신을 이용하기 때문에 브로안을 대동하지도 않았다.

브로안은 내가 분신을 조종하는 동안 내 본체를 보호해야 했다.

마차를 타고 하루를 달려 타나스 왕국으로 들어갔고, 거기서 이틀을 더 달려 수도에 도착했다. 사신의 자격으로 방문한 것이기에 검문은 가볍게 끝이 났고, 위에서도 지시를 내렸는지 한 번의 막힘도 없이 수도로 진입할 수 있었다.

역시 처음 우리를 반긴 사람은 가르트 백작이었다.

일전에 나와의 협상에서 줄곧 거만한 자세를 취하던 사람이 맞는지 의심스러울 정도로 그는 얼굴이 죽어가고 있었다.

"다시 뵙게 돼서 영광이네요. 그동안 잘 지내셨습니까?"

"진 자작님의 방문을 환영합니다. 어서 안으로 드시지요. 전하께서 기다리고 계십니다."

"그래요? 그럼 들어가야죠. 저도 여기에 오래 있고 싶은 생각은 없네요. 좋은 추억이 하나도 없어서요."

타나스 왕궁은 조금 달라져 있었다.

브로안이 도적질을 입증하기 위해 왕궁의 꼭대기를 폭발시킨 바 있었는데, 타나스 왕국은 짧은 시간 동안 왕궁을 이전보다 더 멋진 모습으로 보수한 상태였다.

저런 곳에는 돈을 써도 우리에게 보상하기는 싫다?

'생각하면 할수록 열이 받네.'

어쨌든 오늘이 마지막 기회다. 그들이 조금이라도 허튼소리를 한다면 더는 기회가 없을 것이다.

왕궁의 1층 홀에는 타나스 왕국의 귀족들이 모두 모여 있는지 넓은 홀이 꽉 차 있었다.

귀족들이 나를 보는 눈초리가 좋지 않았다.

귀족들이 양옆으로 나 있는 길을 따라 걸었다. 한 발자국 걸을 때마다 수십 개의 비수가 몸에 꽂히는 기분이었다.

이런 분위기면 좋은 일이 생기지는 않겠네.

"어서 오게나. 자네가 올 줄은 몰랐네."

타나스 왕도 내가 브루니스 왕국의 주요 인사라는 사실을 알고 있었고, 전쟁이 끝나지 않은 상황에서 내가 사신으로 찾아왔다는 것을 놀라워했다.

"처음 협상을 주도한 사람이 저이니 마지막을 장식하는 사람도 제가 되어야 되지 않겠습니까. 그런데 얼굴이 좋아 보이십니다."

얼굴에 잔뜩 붙어 있던 살들이 떨어져 나간 타나스 왕이었다.

며칠 사이에 마음고생을 한 덕에 강제 다이어트를 하게 된 것이었다.

이번 전쟁의 성과는 많지만 타나스 왕의 건강을 챙기게 해준 것도 포함시켜야겠네.

"흠흠……. 그래, 우리에게 할 말이 무엇인가?"

어쭈, 자기가 갑인 줄 알고 있나 본데.

한 번도 너희가 갑인 적은 없었다고. 착각을 단단히 하고 있네.

"제가 먼저 말을 꺼내야 하는 겁니까? 저에게 제안을 하실 생각은 없으신 겁니까? 타나스 왕국에서 먼저 우리에게 제안해야 하는 것이 이치에 맞다고 생각하는데, 제 생각이 틀린 것입니까?"

도발적인 말에 주변에 있는 귀족들이 웅성거렸다.

"감히!"

"어디서!"

저따위 말을 할 용기가 아직 남아 있다니. 아직 위기감을 느끼지 못하고 있군.

"할 말이 없으시다면 이만 돌아가도록 하겠습니다. 대화를 할 준비가 되어 있지 않은 분과 대화하고 싶은 마음은 저도 없습니다. 그럼 전장에서 뵙도록 하겠습니다."

"잠시만 기다리게나. 가르트 백작, 자네가 말해보게나."

자신의 입으로 말하기는 부끄러웠는지 가르트 백작에게 대화를 떠넘기는 타나스 왕이었다.

가르트 백작은 한숨을 짧게 쉬고는 딱딱한 목소리로 말했다.

"이번 전쟁의 책임은 양측에 있다고 판단됩니다. 아직 항마 전쟁이 끝나지 않은 상황에서 더 이상의 전쟁은 악마를 도와주는 꼴이 되고 맙니다. 국제 정세도 전쟁을 옹호하는 분위기가 아닙니다. 이만 다시 예전처럼 돌아가는 것이 좋지 않겠습니까?"

"예전처럼 돌아가자는 말이 잘 이해가 안 가서 그러는데, 언제를 말씀하시는 겁니까? 앞마당에서 도적질을 당하고도 아무런 사과와 보상을 받지 못하던 그때를 말씀하시는 겁니까, 아니면 우리를 소국이라고 폄하했던 시절을 말씀하시는 겁니까?"

"오해가 있었던 것 같네. 우리는 브루니스 왕국에 할 배상을 준비하고 있었다네. 자네가 너무 성급히 돌아가서 우리의 뜻을 제대로 알지 못했던 것이라네."

어디서 나에게 책임을 돌리려고. 내가 아직도 만만하게 보이나 보네.

"가르트 백작님, 저번 협상 때 분명히 말했던 것 같은데요. 협상의 모든 책임은 가르트 백작님이 지겠다고요. 저번 협상의 결과가 이번 전쟁이지 않습니까. 잘못을 하고도 사과와 배상을 하지 않겠다는 것은 우리 왕국과 전쟁을 하고 싶다는 뜻이 아닙니까? 제가 어디서 오해를 했는지 모르겠군요."

타나스 왕은 분노를 감추지 못하고 가르트 백작을 쳐다보았다.

브루니스 왕국에 사과와 보상을 하지 않아도 된다고 강하게 주장한 사람이 가르트 백작이었다. 그 결과 패전국이라는 오명을 쓰게 생겼다. 그것도 국가 중 가장 영토가 작은 국가를 상대로 말이다.

"다시 협상을 하시죠. 원하시는 바를 최대한 들어드리겠습니다. 더는 불필요한 희생은 막아야 하지 않겠습니까?"

"희생? 이번 전쟁에서 우리 측 병사의 피해는 없다고 봐도 됩니다. 부상을 입은 병사는 있지만 죽은 병사의 수는 얼마 되지 않습니다. 불필요한 희생은 우리와 상관없는 얘기 같군요."

집요하게 물고 늘어졌다. 이 정도도 참지 못한다면 사과를 할 준비가 되어 있지 않다고 판단했다.

"그만하게나! 원하는 보상을 말하게나. 상단들이 잃어버린 물건만큼의 보상금을 브루니스 왕국에게 지불하겠네. 그리고 정식 사과 서신을 보내겠네."

가르트 백작의 말에 답답함을 느꼈는지 타나스 왕이 직접 말했다.

사실 타나스 왕국에서 자행한 도적질로 인해 우리가 입은 금전적인 손실은 없었다.

물건을 잃어버린 것은 다른 나라의 상단들이었고, 우리는 도의적인 책임으로 약간의 보상을 해준 것뿐이었다.

하지만 명백히 우리 왕국을 무시한 것은 사실이었고, 그것은 값비싼 물건을 잃어버린 것보다 더 큰 상처였다.

"전하께서 그렇게까지 말씀하시니 우리가 원하는 보상안을 제시하겠습니다. 이번 사건으로 우리 왕국은 안전하지 못하다는 이미지를 얻게 되었습니다. 그로 인해 경매장의 수입이 반 토막이 났습니다. 그리고 경매장이 다시 안정을 찾기 위해서는 1년은 걸릴 거라고 생각합니다. 그러니 경매장의 1년 치 수익을 보상해 주시기 바랍니다."

"1년 치의 수익을 말인가? 정확한 금액을 말해보게나."

경매장에서 팔려 나가는 최하급 아이템만 하더라도 100골드가 넘었다.

특히 최고급 아이템은 경매 시간이 부족할 정도로 가격이 끝도 없이 높아졌다.

"부족하긴 하지만 500만 골드면 충분할 것 같습니다."

"500만 골드 말인가? 그것은……."

브루니스 왕실의 2년 예산에 육박하는 금액이었다. 하지만 지금의 추세대로라면 경매장의 예상 수익은 그 정도였다. 경매장의 수익은 하루가 다르게 가파르게 올라가고 있었고, 도적들이 사라진 지금에 들어서는 엄청난 숫자의 상단들이 경매에 참여하기 위해 수도를 방문하고 있었다.

"우리로 인해 경매장의 수익에 타격을 입었다는 것은 알겠지만 500만 골드는 너무 무리한 요구라고 생각하지 않는가? 그리고 경매장은 매번 뜨거운 반응을 보이고 있다고 알고 있다네."

타나스 왕의 말이 사실이었다. 도적과는 상관없이 경매장의 수익은 항상 대박이었다.

물건이 없어 못 팔 정도였고, 모든 물건이 우리의 예상보다 비싼 가격으로 팔려 나갔다.

하지만 그건 우리의 사정이었고, 그런 것까지 따져가며 보상안을 생각하지 않았다.

"500만 골드가 절대 무리한 요구라고 생각하지 않습니다. 만약 우리가 전쟁에서 패했다면 경매장을 집어삼킬 생각이었지 않습니까."

한참을 생각한 타나스 왕이 작은 목소리로 말했다.

"알겠네. 그럼 500만 골드만 배상하면 되겠는가?"

"그렇습니다. 500만 골드면 충분히 사과를 받아들일 수 있습니다. 그러면 이제 전쟁 배상금에 대해서 대화를 하시죠."

"전쟁 배상금을 따로 달라는 말인가?"

"당연하지 않습니까. 우리 왕국은 이번 전쟁을 벌이면서 엄청난 금액을 손해 봤습니다. 하나의 무기를 운용하는 데 얼마의 금액이 드는지 아십니까? 천문학전인 금액이 들었습니다."

고작 500만 골드로 퉁 치려고 했다니. 역시 도둑놈 심보가 가득한 왕국답네.

"너무 무리한 요구일세. 500만 골드만 하더라도 우리 왕실의 재정이 휘청거릴 정도일세."

"그러면 사과는 받기로 하고 전쟁은 계속하는 수밖에 없겠군요. 사과는 잘 받겠습니다. 그럼 이만 돌아가도록 하겠습니다."

우리 측 요구에 타나스 왕국의 귀족들도 반발하고 있었다.

무리한 요구라고 생각해서겠지.

하지만 절대 무리한 요구가 아니었다.

왕국이 멸망하는 것보다는 몇 년을 재정난에 시달리는 것이 나을 테니.

"마지막으로 하나만 말씀드리고 이만 돌아가도록 하겠습니다. 다시 전쟁이 시작되면 타나스 왕국은 새로운 적들을 만나게 될 겁니다. 우리 왕국과 연합하길 원하는 국가들이 상당히 많습니다. 우리는 그렇지 않지만 영토에 욕심이 많은 국가들이 많더군요. 특히 서부권 국가들이 상당히 적극적이었습니다. 우리보다 더 전쟁에 관심이 많아 보였습니다."

지금이 얼마나 위기 상황인지 알려주었다.

그래야만 우리의 요구가 과하지 않다는 것을 알 테니까.

"시간을 주게나. 하루만 여기에 더 머무르게나."

"알겠습니다. 하지만 하루나 여기에 있을 수는 없습니다. 해가 지기 전까지 왕궁에서 머무르도록 하겠습니다. 그 전까지 확답을 주시기 바랍니다."

홀을 벗어나 응접실로 들어갔다.

열띤 회의가 벌어지고 있을 것이다. 여러 가지 의견이 나올 것이고, 나를 이용해 협박하자는 의견도 나올 것이다. 만약 그 의견을 받아들인다면…….

한 국가의 멸망이 어떻게 진행되는지 두 눈으로 똑똑히 보게 될 것이다.

공기가 조금씩 차가워지기 시작했다.

언제나 떠 있을 것만 같던 해가 서서히 지기 시작했고, 붉은 노을이 하늘에 걸렸다.

똑똑!

"홀로 모시겠습니다."

정확한 시간에 다시 홀로 돌아갔다.

오랜 회의로 인해 귀족들은 기진맥진한 상태였다. 타나스 왕은 반나절 사이 몇 년은 늙어 보였다.

"알겠네. 모든 조건에 응하겠네."

억지로 입을 열어 말한 타나스 왕이었다.

매우 굴욕적인 말이었기에 하기 힘들었을 것이다. 그의 결심에 속으로 박수를 쳐 주었다.

"감사합니다. 그러면 그렇게 알고 돌아가도록 하겠습니다. 그리고 전쟁 배상금에 대한 협상은 우리 진영에서 진행하도록 하겠습니다."

매번 내가 타나스 왕국으로 왔기에 한 번은 타나스 왕국에서도 사람이 찾아오는 것이 이치에 맞았다.

*　　　*　　　*

가르트 백작이 찾아왔다.

그는 자신의 실수를 만회하기 위해서 가식적인 웃음을 단 한 순간도 잃지 않았고, 우리가 요구한 배상금을 그대로 수용했다.

단지 타나스 왕국이 한 번에 지불하기에는 큰 금액이라 몇 년에 나누어 지불하겠다는 제안만을 했는데 그 정도는 충분히 들어줄 수 있는 제안이었다.

가르트 백작은 협상이 끝나자 죽은 미소를 지어 보였다.

그것은 자신의 정치 인생이 끝났다는 것을 아는 미소였다.

그의 몰락은 타나스 왕국의 입장에서는 이득이 될 것이다.

능력이 되지 않는 사람이 높은 자리에 있어서 왕국이 썩어 돌아갔으니 이 기회에 정화 작용을 했다 쳐야지.

이제 타나스 왕국과의 전쟁에서 아무런 피해도 입지 않고 승리한 브루니스 왕국의 명성은 높아졌다.

작은 제국.

브루니스 왕국이 새로 얻은 별칭이었다.

가장 작은 땅을 가지고 있지만, 어떤 왕국보다 군사력이 강했기에 붙은 이름이었다.

카인트 공작은 물론이고 아다드 왕까지 그 별칭을 좋아해, 작은 제국을 모티브로 한 그림을 여러 점 그려 왕궁 내부에 전시하기도 했다.

왕국의 명성이 높아지자 남부 귀족들의 상단도 덩달아 활발히 움직였다.

이전에는 다른 왕국들의 눈치를 보며 불합리한 거래를 했지만 지금은 동등한 입장 혹은 갑의 입장에서 상거래를 하게 되어 왕국으로 많은 돈이 쏟아져 들어왔다.

물론 남부 귀족들의 뱃속이 더 빠르게 차오르겠지만.

경매장의 수익도 가파른 상승곡선을 그리며 수익을 창출했다.

대부분의 아이템이 내가 만들거나, 악마의 탑에서 구한 아이템들이었기에 가장 큰 배당률을 가지고 있는 사람은 나였다.

하지만 돈이 많다고 해서 딱히 할 만한 일이 없었다.

하여 나는 자비를 들여 무기 연구소를 만들었고, 새로운 원거리 무기 제작을 위한 공장을 몇 개 더 지은 것이 전부였다.

수도에 왕궁 다음으로 큰 저택을 지은 것은 통장 잔고에 티도 나지 않을 정도의 지출이었다.

새로 만든 집에는 당연히 현자와 브로안 형제가 들어왔다.

카인트 공작과 아드몬드도 몇 차례 방문하고는 불편한 왕궁을 뒤로하고 내 저택에서 같이 생활했다.

표면적으로는 모든 것이 안정적이었지만, 보이는 것과는 달리 하루하루가 고통이었다.

"스승님! 오늘은 제발 정상적인 수련을 하면 안 되겠습니까? 몸이 남아나지를 않습니다. 제가 죽기라도 하면 어떻게 하시려고 그러십니까."

보통의 저택은 귀족들이 주거하는 공간이었기에 아름답게 가꿔진 정원에서 형형색색의 꽃과 나무들이 저택을 향기롭게 만들어주겠지만 우리 저택은 그러지 못했다.

스승님의 완곡한 의견에 의해 이전 주인이 만들어놓은 정원을 뽑아버리고는 수련장으로 개조해 버렸다.

저택을 가지고 있는 사람 중 이렇게 큰 수련장을 가지고 있는 사람은 없을 것이다.

차라리 공터를 하나 매입하는 게 어떻겠냐고 말해봤지만…….

"눈을 뜨면 바로 수련을 해야지. 동선이 길면 아까운 수련 시간만 뺏기지 않느냐."

수련에 미쳤다고밖에 말할 수 없는 스승님의 뜻에 따라 운동장 한가운데 세워진 저택이었다.

건물의 외관이 어떻든 그런 건 크게 중요하지 않다.

수련의 강도가 문제였다.

하루가 다르게 수련의 강도는 높아져만 갔고, 어제는 팔의 문양을 강화시킨다는 명목으로 맨손으로 바위를 하루 종일 두드렸다.

조금이라도 힘 조절을 하는 낌새가 느껴지면 스승님의 회초리가 내 몸을 사정없이 후려쳤기에 나는 미친놈처럼 바위를 두드려야 했다.

이대로는 육체를 강화하는 것보다 내가 먼저 미쳐 버릴 것 같았다.

무슨 수를 써야 한다.

스승님이 잠시 자리를 비우기라도 하면 나는 건물 내부에 있는 전용 연구소에 달려가 육체 능력을 키울 수 있는 방법을 연구했다.

실마리는 예전부터 알고 있었다. 스승님을 모시게 된 이유이기도 한 파쿠만의 이빨이 유일한 해답이었다.

[파쿠만의 이빨]
등급 : C
내구성 : 200/200
강도 : 3
순도 : 88%
높은 절삭 능력을 가지고 있다.
마법진의 재료로 사용된다.

분명 파쿠만의 이빨을 이용하면 내 몸에 새긴 문양과 같은 능력을 가진 아이템을 만들 수 있을 것이다.

하지만 쉽지 않은 일이었다.

스승님을 모시고 내 몸에 새겨진 문양에 대한 교육을 받은 이후 조금씩 파쿠만의 이빨에 문양을 새기는 작업을 했지만 매번 실패였다.

문양을 새기는 것은 자신 있었다.

금형 기술자였던 내게 수작업에 있어서의 정밀도는 내가 자랑할 수 있는 유일한 장기이기도 했다.

100분의 1㎜를 손으로 느낄 수 있을뿐더러 가공할 수도 있다.

아무리 복잡한 문양이라고 하더라도 충분히 따라 그려 넣을 수 있다.

하지만 파쿠만의 이빨은 작동한 적이 없었다.

"여기 있었구나! 하라는 수련은 안 하고 장난감이나 만들고 있었더냐!"

밥을 마셨나?

조금이라도 시간을 벌기 위해서 특별히 주방장에게 세트 요리를 준비시켰다.

하지만 스승님은 30분도 지나지 않아 식사를 마치고 나를 찾아왔다.

"호! 생각보다 정교하게 조각을 했구나. 역시 재능이 남달라. 나중에 제자를 들이면 나보다 빠르게 문양을 새겨 넣어줄 수는 있겠구나. 하지만 이런 뼛조각에 문양을 새긴다고 해도 별다른 효력을 얻기는 힘들지. 나도 이런 짓을 많이 해봤다."

스승님도 문양을 이용해 아이템을 제작할 생각을 했다는 건가?

한번 문 건 집요하게 하고 마는 스승님의 성격상 아이템을 만들기 시작했으면 몇 년이고 포기하지 않고 제작했을 것이다.

"나뿐만 아니라 나의 스승님은 물론이고 우리의 선대 계승자들까지 전부 문양을 이용해 아이템을 제작하려고 했었지. 성공한 사례가 없었으면 모를까, 성공 사례가 있으니 유혹을 이기지 못한 거지."

"성공한 적이 있습니까? 어떤 방식으로 성공했습니까?"

"알고 싶냐? 못 알려줄 건 없지. 고리의 색이 보라색으로 변하면 된다. 선대 계승자 중 보랏빛 고리를 가지고 계신 분이 있었지. 그분만이 유일하게 문양을 이용해 아이템 제작에 성공했다고 한다. 그러니 빨리 수련하러 가자꾸나."

보랏빛의 고리를 가져야 아이템을 제작할 수 있다니, 스승의 말에 의욕이 사라졌다.

고리의 색은 순차적으로 변하는데, 현재 나는 흰색의 고리를 가지고 있었다.

흰색 다음에는 노란색이고, 그다음이 보라색이었다.

노란색의 고리를 얻는 것도 불가능해 보이는 상황에서 보라색의 고리를 가져야만 문양을 이용해 아이템을 제작할 수 있다니.

지금까지 내 노력이 모두 헛수고였다.

*　　　*　　　*

아이템 제작을 접은 이후, 스승님의 말에 따라 수련에만 전념

했다.

나는 종일 육체 수련을 했고, 남들보다 이른 시간에 침대에 쓰러졌다.

밤이 깊어오면 고리 강화를 위해 공동묘지나 도축장에서 명상을 해야 했기 때문이다.

그렇게 두 달이 지났다.

우리는 중간중간 악마의 탑에 도전하긴 했지만 6층으로 올라갈 생각을 하지는 못했다.

공략에 성공한 5층도 아직 힘들었기에 6층을 공략하는 것은 어불성설이었다.

6층에 도전하기 위해서는 무장 상태를 극도로 끌어 올려야 한다.

브로안뿐만 아니라 모든 파티원이 높은 방어도의 방어구를 보유해야 했고, 주 무기를 제외한 보조 무기도 더욱 강력한 것으로 교체해야 했다.

기사들은 보통 자신의 검을 목숨처럼 여기고 항상 옆에 둔다.

부인들이 검을 질투할 정도로 검을 아끼는 사람이 기사들이다.

하지만 악마의 탑을 공략하기 위해서는 한 가지 무기에 집착해서는 안 된다.

상대에 따라 유동적으로 무기를 교체해야만 몬스터를 빠르게 제압할 수 있는 것이다.

악마의 탑 4층과 5층을 돌며 우리는 무장을 강화했고, 다시 두 달이 흘러서야 6층을 공략할 자신이 생겼다.

특히 브로안은 그동안 최적의 아이템 조합을 완성했다.

피해 면역과 반사 능력이 있는 그의 주 무기인 방패와 환상적인 궁합을 가지는 갑옷을 구한 것이다.

[드레이크의 갑옷]

등급 : B

내구성 : 3,000/3,000

강도 : 2

순도 : 79%

방어도 상승 : 70%

피해 감소 : 50%

반사 독 데미지 : 최대 생명력의 5%

공격을 받으면 공격하는 대상을 중독시킨다.

독을 내뿜는 드레이크의 심장을 갈아 만든 갑옷.

드레이크의 갑옷은 악마의 탑에서 구한 아이템이 아니라, 정말 우연스레 구한 것이었다.

경매장의 규모가 점점 커지면서 위탁 판매를 통해 수수료를 벌어들이자는 브란의 의견에 모두가 동의했다.

자신의 형인 브로안과는 달리 브란은 현자의 지도하에 빠르게 지식을 습득했고, 한 번씩 내뱉는 그의 의견은 항상 좋은 쪽으로 흘러갔다.

그렇게 브란의 의견에 따라 위탁 판매에 들어갔고, 전국 각지에 있는 사람들이 돈 혹은 새로운 아이템을 사기 위해 가보나 다름없는 물건들을 내놓았다.

보통은 D급 이하의 능력이 봉인된 아이템이 대부분이었지만, 간혹 대박 물건이 나오기도 했다.

드레이크의 갑옷은 어떤 몰락 귀족이 가지고 온 아이템이었다.

집이 팔려 나갈 위기를 벗어나기 위해 가보로 가지고 있던 갑옷을 위탁 판매에 넘긴 것이었다.

브로안에게 가장 필수적인 능력이 봉인된 갑옷을 보고 나는 그 몰락 귀족에게는 상상 이상의 금액을 보상해 주었다.

가진 재산을 도박에 탕진한 전력이 있는 그가 그 돈을 한순간에 탕진할지도 몰랐지만 그건 내가 신경 쓸 일이 아니다.

브로안의 기본적인 능력도 지속적인 수련으로 인해 약간이나마 상승하기도 했다.

방어를 담당하는 브로안이 강해진 만큼 딜러진의 능력도 높아졌다.

특히 카인트 공작은 노장임에도 불구하고, 대부분의 시간을 수련장에서 보냈다.

오러를 그리워하는 그에게 대신이라고 하긴 그렇지만 오러와 비슷한 능력을 내는 아이템을 선물해 주었다.

[마르톤 슬레이어]
등급 : A
내구성 : 200/200
강도 : 1
순도 : 97%
피해도 증가 : 60%
방어력 관통 : 40%
특수 기술 : 벙어력 관통 100%
(최대 체력의 40% 소모)
제국을 집어 삼킨 마족의 결정체를 갈아 만든 손목 보호구.

몬스터들은 가죽 혹은 두꺼운 비늘로 방어력을 높였고, 그 방어력을 무시할 수 있는 것이 마르톤 슬레이어였다.

오러가 담긴 검이 방어구를 관통하는 것처럼 마르톤 슬레이어도 그런 능력을 가지고 있었다.

하지만 그 능력은 특수 기술로, 최대 체력을 절반 가까이나 잡아먹기에 자주 사용할 수 있는 기술은 아니었다.

하지만 비장의 기술로 사용하기에는 제격이었고, 이미 여러 번의 실험을 통해 마르톤 슬레이어의 능력을 확인했다.

브로안과 카인트 공작의 능력이 한 단계씩 업그레이드되었다.

앞의 둘보다는 못하지만 아드몬드의 능력도 꽤나 높아졌기에 이제는 안정적으로 5층의 몬스터를 사냥할 수 있었고, 악마의 탑 6층에 진입할 용기가 생긴 것이다.

"6층을 공략하기 위해서는 만반의 준비가 필요하네. 진 자작, 부탁하네."

"알겠습니다. 이미 준비는 끝내놓았지만 한 번 더 확인해 보겠습니다."

아크타르 폭탄은 마차 두 대 분량이 보관 상자 안에 들어 있었고, 식량은 우리 4명이 1년은 버틸 수 있을 정도였다.

만약의 사태를 대비해 공성 무기도 챙겼고, 새로 만든 공성 무기도 빠짐없이 보관 상자 안에 넣어두었다.

이미 완벽히 준비한 상황이었기에 나는 오랜만의 휴식을 취했다.

악마의 탑이 얼마나 위험한 장소인지 스승님도 알고 있었기에 휴식을 취하는 것으로 뭐라고 하지는 않았다.

이게 얼마 만에 편히 침대에 누워보는 거야.

이렇게 일주일만 자고 싶다.

눈을 잠시 감았다가 떴을 뿐인데 하루가 지나가 버렸고, 우리는 데빌 도어를 통해 악마의 탑에 들어갔다.

악마의 탑 1층부터 3층까지는 농담을 하면서 몬스터를 처리할 정도였다.

"몬스터 꼬치를 만들었어요. 으하하하!"

브로안은 늑대 형태의 몬스터의 입에 꼬챙이를 박아 넣고는 꼬치를 만들었다고 자랑하는 만행을 저지르고 있었다.

딱히 위험하지 않았기에 카인트 공작도 저런 브로안의 행동을 제지하지는 않았다.

우리는 곧장 악마의 탑 5층까지 신속히 공략하며 이동했다.

본격적인 전투는 5층부터였고, 브로안도 이전처럼 장난을 치지 않고 진지하게 몬스터들을 상대했다.

Chapter 5

거울상 I

5층의 몬스터들은 쉬운 상대가 아니라 전략적으로 접근해야 한다.

특히 이번은 6층을 목표로 하고 있기에 더욱 체력을 아껴야 했다.

근접전은 불가피하게 체력을 소모하게 되지만 원거리 무기를 사용하면 체력을 아끼고 상대할 수가 있다. 그래서 시간이 조금 더 소모될 수는 있지만 원거리 무기를 사용하는 것이 훨씬 이득이다.

그리고 다행히 원거리 무기를 사용해서 공략이 가능한 몬스터들이 5층에 서식하고 있었다.

"형님, 정리가 끝났습니다. 역시 아크타르 폭탄이 최고라니까요."

우리는 5층에 서식하는 일반 몬스터들에게 아크타르 폭탄 더미를 선물해 주었다.

악마의 탑을 공략하기 위해 우리는 특별한 무기를 준비했다.

투석기는 제약이 너무 많았기에 우리는 대형 석궁을 개조해 악마의 탑에서 사용할 수 있게 만들었고, 그 효과를 오늘 톡톡히 봤다.

사람은 이래서 준비를 해야 된다니까.

원거리 무기를 사용하지 않았으면 저 몬스터들을 일일이 상대하는 데 며칠은 걸렸겠어.

6층으로 올라가는 데빌 도어를 지키고 있는 보스 몬스터는 쉽지 않았다.

3박 4일을 투자해서야 겨우 잡을 수 있었다.

가지고 온 아크타르 폭탄의 1/3을 사용해서야 보스 몬스터를 잠잠하게 만들 수 있었다.

마지막 목을 자르기 위해 상처를 입긴 했지만 이 정도는 애교였다.

"저게 맛있나? 네르가 먹는 걸 보니 괜히 배가 고파지네요."

네르는 이번에도 보스 몬스터의 몸속에 숨어 있는 마기의 결정체를 씹어 삼켰다.

"형님, 네르의 외형이 조금씩 바뀌고 있는 것 같은데요. 특히 털이 회색으로 변했는데요."

"회색이 아니라 은빛이지. 색도 구별 못 하냐."

네르의 은색 털은 보석처럼 아름다웠다. 대두 고양이에서 이제는 꽤나 균형 잡힌 몸매를 갖춰 가기 시작했다.

여전히 두 손에 들어올 정도로 작았지만 확실히 진화하고 있었다.

"회색 털이든 은색 털이든 저는 모르겠고요. 네르는 언제 밥값을 할까요. 지금까지 먹은 몬스터의 결정체도 적지 않은데, 이제는 슬슬 신수의 힘을 발휘할 때도 됐잖아요."

나도 그게 궁금했다.

네르의 능력은 아직 완전히 발휘되지 않았다.

하지만 조급하게 생각할 필요는 없었다.

지금은 그냥 품속에 있는 것만으로도 나에게 큰 행복과 위로가 되었다.

"잡담은 그만하고, 바로 6층으로 올라가자."

카인트 공작과 아드몬드는 이미 데빌 도어에 자리를 잡고 앉아 우리를 기다리고 있었다.

*　　　*　　　*

드디어 6층까지 진입했다.

5층에 처음 진입했을 때는 일반 몬스터들에게도 목숨을 위협받았었다.

6층의 몬스터는 5층의 몬스터보다 배는 강할 것이다.

지금까지 그래왔듯이 말이다.

"전방에 몬스터들이 보이는군. 다들 전투 준비를 하거라."

익숙한 모습을 하고 있는 몬스터들이다.

5층에서 지겹게 싸웠던 몬스터들이 6층에도 서식하고 있는 것이었다.

6층의 지형도 익숙했다. 용암이 흐르는 강이며 좁은 길까지.

"저기 서 있는 돌덩이들도 골렘이겠죠?"

"그렇겠지. 외형을 봐서는 마코니안 골렘 같은데."

마코니안 골렘은 분명 다른 몬스터들보다 강했지만 나에게는 편한 상대였다.

입자를 재구성해 명령을 새로 입력하기만 하면 내 것으로 만들 수도 있다.

특히 수련을 통해 고리의 에너지의 보유량을 늘린 상태였기에 이전보다 더 빠르게 주도권을 가져올 자신도 있었다.

"브로안, 따라와 봐. 진짜 마코니안 골렘인지 확인해 봐야겠어."

천천히 바위 무더기에 다가갔다. 아직은 아무런 움직임을 보이지 않고 있었다.

처음 봤다면 일반 바위라고 생각할 정도로 평범한 모습이었다.

하지만!

"형님, 조심하세요!"

골렘의 영역에 들어서자 어김없이 달려드는 마코니안 골렘들이었다.

지금은 몸을 피해야 했다. 한 번 공격한 후 움직이지 않을 때를 노려 다가가야 한다.

브로안은 방패를 들어 나를 지켜주었고, 공격의 소나기가 지나가기를 기다렸다.

확실히 아이템을 더 착용한 브로안은 골렘의 공격을 막아내었다.

방패를 든 브로안의 팔의 힘줄이 당장에라도 터질 것 같긴 했지만 그래도 아무런 피해를 입지 않았고, 이로써 브로니안의 방어력이 이전보다 훨씬 높아졌다는 것이 증명되었다.

"이제 끝난 것 같네. 여기서 기다려. 혼자 갔다 올게."

골렘은 전과 같은 위치에 몸을 웅크리고 있었고, 고양이 발을 하고 살금살금 다가갔다.

손을 가져다 대기만 하면 된다.

나는 슬로모션처럼 움직여 접근에 성공했고, 바로 골렘의 입자를 재구성했다.

5층에서 본 골렘과 완전히 똑같은 방식이었다.

이미 경험이 있었기에 빠르게 한 기의 골렘의 명령어를 바꾸었다.

강해진 고리의 능력 덕분에 조금 복잡한 명령어를 집어넣을 수 있었다.

이전의 골렘들은 나를 공격하는 대상을 공격했다면 지금의 골렘들은 내 명령에 따라 공격 대상을 지정할 수 있게 되었다.

20기가 넘는 골렘들의 명령어를 수정하는 작업은 생각보다 빠르게 끝났다.

"우리가 너무 6층을 걱정한 거 아닌가요? 5층하고 완전히 똑같은 거 같은데. 아무리 악마들이라고 하더라도 능력에 한계가 있는 게 아닐까요?"

브로안의 말에 대꾸를 잘 해주지 않는 아드몬드가 반론을 펼쳤다.

"그렇지는 않을 것이다. 악마들의 능력은 우리의 생각보다 좋다. 지금의 몬스터들은 악마들과 비교하면 먼지나 다름없다."

"기사단장님은 마치 악마와 싸워본 것처럼 얘기하십니다."

"책에서 보았다. 서재에 있는 책에는 악마들의 능력에 자세히 적혀 있다. 내가 분명 너에게도 악마의 능력이 요약되어 있는 책을 준 것 같은데, 읽지 않았나?"

"제가 책만 보면 잠이 오는 지병이 있어서요."

브로안의 말도 안 되는 변명에 다들 실소를 터뜨렸고, 든든한 우군이 된 마코니안 골렘 20기를 데리고 안으로 들어갔다.

안으로 들어가자 데빌 도어가 모습을 드러냈고, 옆에는 하늘을 날아다니는 악마의 석상이 있었다.

악마의 석상은 우리에게 좋지 않은 추억을 잔뜩 만들어준 몬스터였다.

"공작님, 투석기를 사용해야 될 것 같습니다. 우리의 능력이 높아졌다고는 하지만 하늘을 나는 몬스터를 상대로는 힘듭니다."

"부탁하네."

악마의 석상에게 당한 기억이 있었기에 대비를 철저히 해 왔다.

주변에서 돌과 흙을 구해 투석기로 날리는 방법은 너무 오랜 시간이 걸린다.

그랬기에 미리 보관 상자에 크기가 일정한 바위들을 담아 왔다.

작은 돌산 하나를 그대로 담아 왔다고 볼 수 있을 정도의 양이었다.

악마의 석상이 날지 못하게 하는 작업은 3일이 걸려서야 끝이 났다.

그동안 우리는 충분한 휴식을 취했고, 완벽한 컨디션으로 악마의 석상과 상대할 수 있었다. 특히 내 명령을 듣는 마코니안 골렘이 큰 도움이 될 것이다.

전투는 항상 같은 진영을 유지하며 시작한다.

브로안이 시선을 끌고, 그 틈을 타 나머지 인원들이 공격하는 방식.

"공작님, 지금입니다!"

브로안이 악마의 석상을 붙잡고 있는 사이 공작의 검이 악마의 석상을 꿰뚫었다.

뛰어난 관통력을 가지고 있는 마르톤 슬레이어의 위력이었다.

그리고 마지막은 네르가 장식했다.

네르는 악마의 석상이 가지고 있는 마기의 결정체를 뽑아 먹었고, 악마의 석상은 더는 움직이지 못했다.

"브로안, 네가 했던 말이 진짜일 수도 있겠는데. 5층하고 완전히 똑같은 몬스터들이 있잖아."

"그렇죠? 제 말이 맞다니까요. 이 기세를 몰아 7층도 바로 공략하죠!"

큰 어려움 없이 끝난 전투에 다들 만족스러워하고 있었고, 7층으로 갈지 왕궁으로 돌아갈지 고민하고 있을 때였다.

음침한 목소리가 귓가에 들려왔다.

악마의 탑에서 처음으로 듣는 다른 존재의 말소리였다.

"여기까지 오느라 수고했다. 인간이 이렇게 빨리 6층을 찾아올지 몰랐다. 못해도 3년은 처박혀 있어야 될 줄 알았는데. 빨리 찾아와 주어 고맙다. 몸이 녹슬고 있는 중이었거든."

"누구냐!"

"악마의 탑에 살고 있는 존재가 누구라고 생각하는 것이냐? 당연히 악마 아니면 마족이겠지."

항마 전쟁에서 악마를 본 적은 있었지만 마족은 접한 적이 없었다.

사람의 모습을 하고 있었기에 그가 자신이 마족이라고 하지 않았다면 마족인지도 몰랐을 것이다.

"마족을 보는 게 처음인가? 나도 인간을 보는 것이 오랜만이다. 마족은 처음 보는 상대에게 자신의 소개를 하는 게 예의인데 인간도 그렇지 않은가? 나는 마코크 부족의 족장인 보헴 브라운이다. 그냥 브라운이라고 불러줬으면 좋겠군."

브라운 계열의 머릿결을 하고 있기에 브라운이라는 이름을 가진 게 아닐지 잠시 생각했다.

"우리는 브루니스 왕국의 귀족들이다."

"여기가 브루니스 왕국의 영역이라는 것은 알고 있었지. 혹시 다른 곳에 위치한 악마의 탑은 몇 층까지 공략당했는지 알고 있는가?"

그의 질문에 나도 모르게 대답했다.

"우리를 제외하면 최고 기록이 4층이라고 알고 있다."

"이제 4층인가? 다행이군. 내가 가장 먼저 재미를 보게 되었어. 역시 마족은 라인을 잘 서야 하는 법이지. 다른 마족들은 못해도 1년은 더 심심해해야 되겠군. 좋아, 아주 좋아!"

브라운은 실성한 듯 한참이나 웃었다.

"다음 층으로 가기 위해서는 너를 상대해야 하는 거겠지?"

"그렇지. 컨디션은 완벽해? 휴식을 원하면 쉬게 해줄 수 있으니까, 무리하지 말라고."

브라운이 우리를 걱정하는 것은 질 좋은 장난감을 가지고 놀고 싶다는 뜻일 것이다.

몬스터보다 강한 능력을 가지고 있을 마족이지만 우리도 그렇게 만만한 상대는 아니다.

"진형을 잡아라. 마족의 말에 현혹되지 말거라."

카인트 공작이 중심을 잡았고, 브로안이 선두에 섰다.

이전에는 나를 보호하기 위해 다이아몬드 진형을 유지했었지만 이제는 나도 전력에 포함이 되었기에 삼각형 구도로 진형을 잡았다.

"오호, 이제 움직이려는 건가? 최고의 공격을 하라고, 여기서 내가 얼마나 썩었는지 알면 그게 예의지."

"그렇게 말하지 않아도 그럴 생각이다! 이거나 받으라고."

브로안은 체중을 잔뜩 실은 방패로 브라운을 압박했다.

힘에는 누구한테 밀리지 않을 자신이 있는 브로안이었기에 가능한 공격이었다.

"인간치고는 강한 힘을 가지고 있군. 좋군, 아주 좋아! 좀 더 힘을 내보라고."

마족의 촐싹대는 말투가 너무 듣기 싫었다.

그의 입을 막기 위해서는 말할 여유를 줘서는 안 된다.

나와 같은 생각을 하는지 카인트 공작과 아드몬드도 동시에 몸을 브라운에게 날렸다.

아무리 마족이라도 브로안에게 잡혀 있는 상태에서 우리 3명의 공격을 완벽히 피해내기는 어려울 것이라고 생각했다.

마르톤 슬레이어의 관통력을 다시 보고 싶어 하는 카인트 공작은 우리 중에서 가장 먼저 브라운의 몸에 검을 찔러 들어갔다.

마코니안 골렘보다 훨씬 높은 강도를 가지고 있는 악마의 석상도 관통한 검을 소유했기에 자신감에 차 있는 카인트 공작이었다.

하지만 브라운은 가볍게 몸을 돌려 검을 피해냈고, 연달아 들어오는 아드몬드와 나의 공격을 상쇄시켰다.

"이거 좀 더 열심히 움직여 보는 게 어때? 기다린 보람이 있어야 하지 않겠어?"

우리는 재차 공격에 들어갔다. 4명이 동시에 사방을 노리며 공격했다.

특히 카인트 공작은 피할 수 없는 방향에서 공격해 들어갔다.

펑!

"이번 것은 꽤나 괜찮았어. 재밌는데. 역시 6층까지 올라올 자격이 있는 인간들이야."

공작의 검은 브라운의 옷에 닿는 순간 보라색의 막이 생겨나 튕겨내었다.

이런 방식의 방어법은 생각지도 못했었다.

"오러를 사용한 방어막과 비슷하군."

카인트 공작은 이런 방어법에 대해서 알고 있는 것 같았다.

"이전에는 인간들이 오러를 사용했었지. 자네 정도의 실력자라면 오러를 능숙하게 사용했었겠군. 그렇다면 내가 어떤 방식으로 방어했는지도 알고 있겠지."

"오러를 몸으로 뿜어내 한순간 막을 만드는 방법은 오러 마스터라면 기본적으로 익혀야 하는 방어법이지. 이런 기술을 마족이 사용하다니."

"말은 똑바로 해야지. 마족이 먼저 이 기술을 사용했다고. 예전의 전쟁에서 인간들이 우리 기술을 보고 배운 거지. 그건 그렇고, 빨리 다시 공격해 보라고. 아직 몸에 슨 녹을 털어내지도 못했다고."

카인트 공작은 은신 망토까지 사용해 마족을 공격했고, 브로안은 자신의 모든 힘을 퍼부어 방패를 휘둘렀다.

나 또한 고리의 에너지를 극성으로 뿜어내 문양을 활성화시켜 육체의 능력을 끌어 올렸지만 브라운의 옷깃 하나 베지 못했다.

그는 잡힐 듯 잡히지 않았고, 그가 우리를 농락하고 있다는 것을 깨달았다.

"벌써 지친 거야? 이거 실망인데. 그래, 오늘은 첫날이니 그렇다고 해주지. 이렇게 재밌는 놀이를 하루 하고 그만둘 수는 없잖아. 다들 휴식을 취하고 오라고. 음식도 먹고, 잠도 충분히 보충한 뒤 찾아와."

지친 기색을 숨기지 못하고 있는 우리를 배려하는 브라운이었다.

그는 마코니안 골렘 한 기를 손으로 조각해 의자로 만들어 데빌 도어 옆에 앉았다.

그는 정말 우리에게 휴식을 취할 시간을 제공해 주었다.

"장난감이 된 기분인데요? 젠장! 완전히 우리를 가지고 놀고 있어요."

브라운의 행동이 심기를 불편하게 했지만 강자의 여유를 약자가 뭐라고 할 수는 없었다.

악마의 탑을 공략하면서 우리는 몸과 정신이 강인해졌다.

한 번의 실패로 주저앉을 정도로 약한 정신을 가졌다면 여기까지 오지도 못했을 것이다.

하지만 압도적인 브라운의 힘 앞에 우리는 좌절감을 맛봐야 했다.
브라운은 의자에 앉아 우리에게 전혀 관심도 주지 않고 있었다.
눈을 감고 희미한 미소를 보이고 있는 브라운은 한 폭의 그림 같았다.
우리에게는 그런 그의 모습이 지옥도로 보였지만 말이다.
"우리가 브라운을 이길 수 있을까요? 죽기 살기로 덤벼들면 옷깃 정도는 벨 수 있겠지만, 그게 전부가 아닐까요."
항상 패기가 너무 넘쳐 문제였던 브로안마저 저런 말을 하고 있었다.
카인트 공작과 아드몬드는 무력감에 입을 닫아버렸다.
"그래도 우리를 쉽게 죽일 것 같지 않아 보이니 그 전에 방법을 찾아보겠습니다."
마땅한 방법? 당연히 떠오르지 않는다.
하지만 다들 이대로 넋을 놓고 있게 할 수는 없었다. 거짓 희망이라도 심어줘야 했다.
아무것도 못 해보고 죽긴 싫었다.
"지금 휴식을 취하고 있는 거 맞지? 다음 전투 때는 좀 더 강해졌으면 좋겠는데. 지금 너희들로는 너무 부족해. 제대로 몸도 풀리지 않는다고."
브라운은 무력감에 빠져 있는 우리에게 천천히 다가왔다.
그의 발걸음은 가벼웠지만 우리의 마음은 무거워지기만 했다.

단시간에 브라운과의 힘의 격차를 줄일 방법 따위가 있을 리는 없다.

"이렇게 축 처져 있으면 내가 미안하잖아. 거기, 얼굴 허연 놈. 이리로 와봐. 너부터 내가 손 좀 봐줄게."

이제는 일대일로 괴롭히려고 하는 건가?

단체 전투에서 흥미를 잃어버렸기에 한 명씩 괴롭히려고 한다고 생각했고, 브로안은 방패를 들어 내 앞을 막았다.

무기력한 모습을 보이기는 했지만 그래도 믿을 사람은 브로안뿐이었다.

"뭐야, 내가 그렇게 나쁜 놈으로 보여? 괴롭히려고 하는 거 아니라고."

"그러면 왜 저를 따로 부르는 겁니까?"

"너무 약해 보여서 개인 교습을 시켜주려고 하는 거지. 너 다음에는 저 덩치고, 그다음은 검을 어설프게 쓰는 놈, 마지막은 한때 검 좀 휘둘렀던 영감 순서로 내가 손 좀 봐줄게. 이대로는 몇 년이 지나도 재미 한 번 못 볼 것 같아서 그래."

어떻게 해야 되지? 브라운의 말을 믿어야 하나?

브라운은 계속해서 자신이 거짓말하는 것이 아니라고 강하게 어필하며 단지 강한 상대와 싸우고 싶다는 뜻을 밝혔다.

우리는 서로의 눈치를 살폈다.

그래, 저 정도 마족이 거짓말을 하지는 않겠지.

반쯤 자포자기하는 심정으로 브로안의 방패를 밀어내고는 앞으로 나아갔다.

"어떤 방식으로 개인 교습을 할 생각입니까? 저희가 수련을 아무리 강하게 하더라도 단시간에 강해질 수는 없을 것 같은데요."

"보통의 수련이면 그렇겠지. 하지만 나는 마족의 족장이라고. 내가 직접 가르친 하급 마족이 천이 넘으니 한번 믿어봐."

묻지도 따지지도 말고 보험 상품에 가입하라는 말처럼 들려왔기에 거부하고 싶었지만 만약 내가 브라운의 제안을 거절한다면 어떤 일이 벌어질지 몰랐기에 어쩔 수 없이 제안을 수락했다.

"너희는 그동안 내가 어떤 방식으로 수련시키는지 구경이나 하라고. 다음에는 너희 차례가 될 테니까."

브라운은 나를 넓은 공터로 데리고 갔다.

"아무리 생각해도 네가 어떻게 여기에 있는지 모르겠어. 인간치고는 나쁘지 않은 육체를 가지고 있기는 하지만, 악마의 탑을 공략할 정도의 능력은 되지 않아 보이는데."

문양의 힘을 보지 못한 것인가?

아무리 한 방에 나가떨어졌다고는 하지만 문양을 각성시키면 5층의 일반 몬스터와 싸울 수 있을 정도는 되었다.

이왕 이렇게 된 거 무시를 받을 수는 없지.

고리에 갇혀 있는 에너지를 풀어내었다. 손과 발, 그리고 몸에 있는 문양들은 빛을 내기 시작했다.

"오호! 재밌는 기술을 쓰는 놈이었구나. 역시 이곳까지 올 만한 이유가 있어. 그런데 그 문양 어디서 많이 본 것 같은데 기억이 잘 안 나네. 뭐, 상관은 없겠지. 어쨌든 너는 전투 경험이 다른 사람에 비해 많이 부족해 보여. 내가 너의 경험을 극대화시켜 주지."

전투 경험을 얻기 위한 것은 싸우는 방법뿐이다.

결국 나와 대련을 한다는 명목으로 스트레스를 풀 심산 같았다.

이럴 줄 알았어. 개인 교습은 개뿔.

"표정이 왜 그래? 내가 너처럼 약한 인간을 때리기라도 할까 봐 그래? 그런 걱정은 하지 마. 내가 직접 손쓰지는 않을 테니까. 특별히 우리 부족 마족들이 성인이 되기 위한 수련법을 사용해 주마."

브라운은 옷 안에 들어 있던 목걸이를 밖으로 꺼냈다.

목걸이에는 보석을 대신해 손톱 크기의 작은 알이 달려 있었다.

예술적인 가치만으로 봤을 때 목걸이의 가치는 최하급이었다.

"너의 전투 경험을 순식간에 올려줄 수 있는 방법이지. 앉아보거라."

내가 무릎을 꿇자 브라운은 내 머리 위에 목걸이를 올려놓았다.

'아무런 변화도 느껴지지 않는데. 지금 나를 가지고 놀고 있는 건가.'

왠지 나를 브라운이 비웃고 있을 것 같았다.

'젠장. 전투에서 진 것도 서러운데, 이렇게 가지고 놀다니. 장난감 취급을 받으면서까지 아양을 떨고 싶지는 않았다. 일어나야겠어. 아무리 내가 약하다고는 하지만 이런 취급을 받고 싶지는 않아.'

자리에서 일어나려고 했다.

하지만 두 다리에 힘이 들어가지 않았다.

다리뿐만 아니라 손에도 힘이 들어가지 않았다. 그리고 점점 머리에 검은 안개가 끼기 시작했다.

털썩!

"무슨 짓입니까!"

"덩치! 진정하라고. 몸에 무리가 가는 수련법은 아니니까. 잠시만 지켜보라고. 괜히 수련 방해하지 말고 가만히 있어."

*　　　*　　　*

여긴 어디지? 머리가 아파왔고, 기억이 가닥가닥 나뉜 느낌이었다.

마치 기억상실증에 걸린 주인공처럼 방금 있었던 일마저 기억이 잘 나지 않았다.

한동안 머리를 부여잡았다.

그렇게 얼마의 시간이 지나자 서서히 머리가 맑아졌다.

브라운이 나를 부른 것부터 내 머리 위에 이상한 알이 달린 목걸이를 올린 것까지 모든 것이 기억났다.

"내가 다른 곳으로 이동을 했나? 악마의 탑에서 빠져나가는 방법은 데빌 도어 말고는 없을 건데."

방금 있던 곳과 완전히 다른 환경이었다.

용암이 흐르는 강도 없었고, 마코니안 골렘의 모습도 보이지 않았다.

단지 어둠뿐이었다.

일반적인 어둠과는 달랐다. 주변이 보이지 않는 것은 아니었다.

내 손도 보였고, 내 다리도 보였다.

하지만 주변은 어둠이었다.

시야가 확보되지만 아무것도 없는 공허의 상태였다.

"이게 왜 마족의 수련 방법이라는 거지? 조용한 곳에서 명상을 하라는 뜻인가? 마족도 명상을 하는 줄은 몰랐는데."

머리가 맑아지자 먼저 몸 상태를 확인했다.

움직이지 않던 다리는 멀쩡히 움직였고, 손도 몸도 정상이었다.

오히려 이전보다 나은 상태였다.

지이이잉!

백색 소음이 어디선가부터 들려오기 시작했다.

귀를 기울여야 들리던 소음은 점점 소리를 키워갔다.

"시끄러워!"

귀를 막지 않고는 견딜 수 없을 정도로 소음은 강하게 울려왔다.

그리고 그 순간 어둠과 공허로 가득하던 공간에 이상한 형체의 존재들이 생겨났다.

한 번도 본 적은 없지만 몬스터라는 생각이 들었다.

저런 모습을 하고 있는 동물이 있을 리는 없으니 몬스터겠지.

한 마리로 시작한 몬스터는 어느새 공간을 가득 채웠고, 나를 향해 이빨을 들이밀었다.

발이 하나인 녀석부터 얼굴이 3개 달린 몬스터까지 괴기한 모습을 하고 있는 몬스터들은 인사도 없이 나에게 달려들었다.

다행이라면 고리가 정상적으로 작동하고 있다는 정도였다.

고리의 에너지를 이용해 급히 문양을 활성화시켰다.

강아지 크기의 몬스터 한 마리가 내 팔을 노리고 공격해 왔다.

날카로운 이빨은 검게 물들어 있었고, 스치기만 해도 독에 중독될 것 같았다.

이런 공격이라면 악마의 탑에서 수도 없이 상대해 본 몬스터와 다르지 않다.

몬스터의 공격을 어렵지 않게 피하고는 몬스터의 배에 주먹을 찔러 넣었다.

몬스터는 비명 소리를 내지 않았고, 피를 흘리며 고통스러워하지도 않았다.

비디오 게임처럼 그대로 사라졌다.

갑자기 사라진 몬스터를 궁금해할 시간은 없었다.

다른 몬스터들이 재차 나에게 공격해 왔다.

"내가 이런 하찮은 공격에 당할 정도로 나약하지는 않다고.

너희 같은 몬스터에게 당하면 우리 스승님이 뭐가 되겠어!"

퍽!

또다시 한 마리의 몬스터의 배를 두드렸고, 역시나 몬스터는 사라졌다.

일정 이상의 충격을 받으면 사라지는 건가?

이번에는 발을 노리고 공격해 오는 몬스터를 그대로 발로 머리를 찍어 소멸시켰다.

주먹과 발을 날리고, 신체 모든 부분을 이용해 공격했다.

얼마나 시간이 흘렀을까?

몬스터의 수는 줄어들 생각을 하지 않았다.

체력에는 한계가 있다.

찌익!

옷에 몬스터의 손톱자국이 났다.

처음으로 몬스터에게 몸을 내준 것이다. 하지만 이것은 시작에 불과했다.

체력이 떨어졌기에 몬스터를 효과적으로 상대할 수 없었고, 몬스터들은 끝도 없이 공격해 왔다.

몬스터의 이빨에 살점이 뜯겨 나가 하얀 뼈가 그대로 드러났다.

다리는 이미 피범벅이 되어 있었다.

"으아아아아!"

온몸에서 고통이 느껴졌다.

이제는 뱃가죽까지 뜯어냈고, 내장이 몬스터의 입에 들어가는 장면이 눈에 들어왔다.

쿨럭!

입에서도 피가 한 움큼 흘러나왔다.

그렇게 몬스터에게 내 몸이 뜯겨 나가는 것을 지켜보며 정신을 잃었다.

*　　*　　*

"정신이 듭니까, 형님!"

익숙한 목소리다. 여기는 천국인가? 아니면 지옥일까?

브로안의 목소리가 들리는 걸로 봐서 지옥이겠지.

"브로안, 내가 그래서 육식은 자제하라고 했잖아. 너 때문에 소와 돼지가 남아나지를 않잖아. 작작 먹어야 천국에 가지. 그렇게 육식을 좋아하더니, 너도 결국 지옥에 왔네."

"형님! 무슨 헛소리를 그렇게 합니까. 제가 왜 지옥에 갑니까. 정신 좀 차려보세요."

브로안이 내 몸을 거칠게 잡고 흔들었다.

죽어서까지 브로안과 함께 있어야 하다니. 이게 좋은 건지 나쁜 건지 구분이 가지 않았다.

"지금은 너무 피곤해. 죽어서까지 피곤하기는 싫어."

퍽!

"아야! 아프다고!"

"거봐요, 고통이 느껴지시죠? 안 죽었다고요."

허벅지에서 불에 타들어가는 듯한 통증이 느껴졌다.

"솥뚜껑만 한 손바닥으로 때리면 어떻게 해! 어라? 공작님, 그리고 기사단장님."

통증에 눈이 번쩍 떠졌고, 내 주변에 있는 사람들이 눈에 들어왔다.

익숙한 풍경.

여긴 악마의 탑이었다.

내가 죽은 것이 아니었단 말인가?

"어때, 수련의 성과는 있는 것 같아? 마족의 수련 방법이 마음에 들지?"

"정말 죽는 줄 알았습니다! 이게 무슨 짓입니까."

"무슨 짓이긴. 경험을 쌓기에 이보다 좋은 방법이 있을 거라고 생각해?"

느낌상으로는 며칠을 몬스터와 싸운 것 같았지만 브로안의 말에 따르면 고작 몇 분이 흐르지 않았다고 했다.

며칠 같은 몇 분이면 분명 경험을 쌓기에는 좋은 방법이었지만 다시 경험하고 싶지는 않았다.

"이제는 덩치, 네가 할 차례야. 잘 갔다 오라고."

브로안의 머리 위에 목걸이가 올려졌고, 브로안은 바로 쓰러졌다.

몸을 움찔거리기는 하지만 호흡에는 문제가 없었다.

마치 꿈을 꾸고 있는 모습이었다.

그리고 정말 몇 분이 지나지 않아 브로안의 정신이 돌아왔다.

멍한 눈을 하고는 있었지만 꿈에서 깬 것은 분명했다.

"브로안! 정신 차려."

"형님, 지옥은 따뜻하겠죠?"

"무슨 헛소리야!"

당한 만큼 돌려줘야지.

그대로 브로안의 뒤통수를 후려갈겨 주었고, 브로안은 그제야 정신을 차렸다.

그의 반응도 나와 다르지 않았다.

죽음의 공포를 느낀 전투가 꿈이었다는 사실에 믿기지 않아 했다.

다음 차례는 아드몬드였다.

아드몬드는 미심쩍은 눈을 하며 꿈에 빠져들었지만 그의 반응도 우리와 다르지 않았다.

카인트 공작의 차례가 다가왔다.

"나를 깨울 때는 그냥 몸을 흔들어 깨우게나."

뒤통수를 때리는 방식이 마음이 들지 않았는지 한마디를 하고는 꿈에 빠져드는 공작이었다.

4명 모두 목걸이가 주는 환상을 경험했다.

"어때, 좋은 수련 방식이라고 생각되지 않아? 이렇게 몇 주만 하면 몇 년 치의 전투를 경험할 수 있다고."

"분명 좋은 방식이군. 하지만 정신이 붕괴될지도 모르겠지."

"역시 나이가 있어서 그런지 단점을 정확히 알고 있네. 마족이라면 상관없겠지만 인간들의 정신력은 한계가 있으니까. 하루에

세 번만 하기로 하지."

하아!

다들 크게 한숨을 쉬었다.

마족과의 전투가 고통스럽고 치욕스러웠지만 허상에서의 전투는 극심한 고통을 느껴야 했다.

살아 있는 상태에서 살이 뜯겨 나가고, 내장이 뜯어 먹히는 장면을 다시 보는 것은 고역이었다.

꿈에서 깨면 고통은 사라졌지만 그 순간만큼은 참을 수 없는 고통을 느꼈다.

"처음이 힘들지. 나중 되면 익숙해질 거야. 조금만 더 노력해봐."

브라운은 싱긋 웃으며 다시 자리로 돌아갔고, 우리는 너 나 할 것 없이 바닥에 누워 휴식을 취했다.

"제가 미친놈들을 많이 만나 봤지만 저 마족만큼 비정상인 놈은 처음 봅니다. 죽이려면 죽이든가, 키워서 잡아먹으려고 수련을 시키는 놈이 있을 거라고는 상상도 못 했습니다."

브라운의 생각도 이해는 갔다.

우리가 죽어버리면 새로운 도전자들이 오기 전까지 몇 년이고 6층에서 심심한 시간을 보내야 하기에 우리와 더 오래 놀고 싶을 것이다.

하지만 당하는 입장에서는 푸아그라를 얻기 위해 주둥이에 강제로 넣는 사료를 들이마시는 기분이다.

"후회를 하게 해줘야지. 마족의 수련 방식을 칭찬하고 싶지는 않지만 효율적인 것은 분명하다네. 한 번의 수련이었지만 많은 것을 깨달을 수 있었고, 나를 되돌아보는 시간도 가질 수 있었지. 이렇게 치열한 전투를 해본 적이 언제인지 기억도 나지 않네. 녹슬어 있던 몸과 정신이 되살아나는 기분이네."

"저도 그렇게 생각하고 있긴 합니다만, 언제 마족이 마음을 바꿀지 모릅니다. 그 전에 방법을 강구해야 됩니다."

육체 강화술로 인해 능력치가 상승했지만 여전히 머리를 쓰는 일은 내 몫이다.

우리에게 시간이 얼마나 주어질지는 모르지만 그 전에 무슨 수를 써야 한다.

"형님은 분명 좋은 방법을 찾으실 수 있을 겁니다."

브로안의 아부는 고마웠지만 지금의 상황을 타개하기 위해서는 아무런 도움이 안 된다.

하지만 내가 하는 아부는 다르지.

지피지기면 백전백승이라고 했지. 일단은 마족에 대해서 알아야겠어.

자신이 직접 만든 수제 수석 의자에 앉아 있는 브라운에게 다가갔다.

"브라운 님, 오러와 비슷한 기술을 어떻게 사용하는지 여쭈어봐도 될까요?"

나도 참 많이 변했다. 사람과의 관계에서 진솔함만이 최선이라고 생각하고 살았지만, 이계에서 많은 일을 겪다 보니 간사한 미소가 얼마나 효과적인 무기인지 깨달았다.

“궁금해? 다른 사람이라면 몰라도 너는 알려줘도 되겠어. 오러와 비슷한 에너지가 없다면 사용할 수 없는 기술이지만 네 몸에 있는 기운이라면 비슷하게 흉내는 낼 수 있을 것 같네.”

역시 손을 비비기 잘했어.

아첨꾼의 자세로 브라운의 옆에 바싹 달라붙었고, 그는 자신의 고유 기술에 대해 설명해 주었다. 우리를 위협적인 적으로 보지 않고 있기에 가능한 일이었다.

“오러를 사용하는 사람이라면 쉽게 사용할 수 있는 기술이지. 저기 있는 영감도 이전에는 나와 비슷한 기술을 사용했을 거야. 하지만 너는 아직 기운을 방출하는 기술을 익히지 못했나 보네. 기운을 한번 움직여 볼래? 내가 봐줄게.”

브라운의 말에 따라 고리의 에너지를 움직였다.

이미 만들어놓은 길이 있었고, 고리의 에너지는 길을 따라 팔과 다리, 그리고 몸의 문양으로 뻗어져 나갔다.

“문양을 이용해 육체의 능력을 키우는 방식이네. 물론 이런 방식이 나쁘지는 않지만 다양한 기술을 사용하기에는 무리야. 문양이 기운을 쉽게 받아들이기는 하지만 여기에 익숙해지면 기운 활용은 기대할 수 없지.”

브라운은 내 팔을 잡으려 했고, 나는 아무런 반항도 하지 않고 팔을 그의 손에 내어 주었다.

치이익!

피부가 타들어가는 소리가 들려왔다.

“무슨 짓을 하시는 겁니까?”

"가만히 있어봐. 도와주려고 하는 거니까. 내가 너보다 몇십 배는 더 살아왔는데 이런 문제 하나 해결하지 못할 것 같아?"

그의 손은 내 팔을 떠나 다리와 몸을 어루만졌다.

그의 손에 의해 문양들은 검게 변해 버렸다.

내 몸은 아름답게 그린 그림 위에 숯을 칠한 것같이 변했고, 고리의 에너지가 문양으로 들어가지 못했다.

"이렇게 하면 네 기운이 문양으로 들어가지 못하지. 이 상태에서 기운을 계속 움직이면 새로운 길을 만들려고 할 거야. 네가 편한 곳으로 길을 내어 주면 돼. 손이 편하면 손으로, 발이 편하면 발로 길을 만들어주면 기운은 새로운 길을 찾아 활발히 움직일 거고, 그 과정에서 기운을 움직이는 법을 배울 수 있을 거야. 그러고 나면 몸 밖으로 기운을 배출하는 게 가능해질 거야."

"감사합니다. 기운이 새로운 길을 찾는 데 얼마나 걸리겠습니까?"

"그거야 나도 모르지. 이런 방식은 나도 처음이라고. 그냥 이론상으로 가능할 것 같아서 해준 거지. 생각을 해봐, 마족 중에 이런 경우가 있을 거라고 생각해? 마족들은 태어나면서부터 마기를 운영하는 능력을 가지고 있다고."

당했다.

눈 뜨고 코를 베인 기분이었다.

마족의 실험을 위해 내 발로 기어 들어간 꼴이다.

"그래도 가능할 거야. 얼마나 걸릴지는 몰라도, 언젠가는 길을 만들 수 있겠지. 네 재능이 얼마나 뛰어나냐에 따라 속도의 차이는 있겠지만, 그건 내가 어떻게 해줄 수 있는 일이 아니잖아."

좋은 쪽으로 생각하기로 했다.

어쨌든 강해지기 위한 방법 중 하나다.

여기서 신경질을 부리거나 발꼬투리를 잡으면 초기의 목적을 달성할 수가 없다.

최대한 친근하게 다가가 많은 정보를 얻어내야 한다.

현재 갑은 브라운이었고, 개미보다 약한 을은 우리였다.

을이 갑을 이기기 위해서는 슈퍼 을이 돼야 한다.

자리로 돌아간 브라운을 뒤로하고 나도 한적한 곳으로 이동해 고리의 에너지를 움직였다.

고리의 에너지는 길을 잃어버려 방황하듯 몸속에서 이리저리 떠다니고 있었다.

새로운 길을 만들기에는 너무도 연약한 힘을 가지고 있는 기운들이었다.

모든 고리의 에너지를 짜내 봐도 달라지지는 않았다.

고리의 에너지를 키우는 걸 우선적으로 해야겠어. 이대로는 맨땅에 박치기하는 꼴밖에 되지 않으니까.

고리의 에너지를 키우기 위해 주문을 외울 준비를 하고 있었다.

그때 브라운이 나를 찾았다.

"다시 마족의 수련을 할 시간이 된 것 같은데. 언제까지 쉬고 있을 수는 없잖아. 너부터 와."

"저는 브라운 님이 알려주신 방법으로 수련을 조금 더 하고 싶습니다."

"그건 시간 남을 때 하면 되고. 얼른 와."

반항할 틈도 없이 내 머리 위에 목걸이가 올려졌고, 나는 그대로 정신을 잃었다.

Chapter 6

거울상 II

"형님, 괜찮으세요?"

"내가 못 했던 말이 있는데, 다음부터 뒤통수 때려서 나 깨우면 평생 밥시간마다 쫓아다니며 뺏어 먹을 거다."

뒤통수가 아려왔다. 이번에도 브로안이 나를 깨우기 위해 뒤통수를 곰발바닥 같은 손으로 후려쳤기에 고통이 느껴졌다.

이 복수는 이따가 해주마.

다음 차례는 브로안이었다.

마족의 수련의 여파로 몸을 제대로 움직일 힘이 없었지만 억지로 힘을 끌어모아 브로안의 뒤통수를 후려갈길 준비를 했다.

"아아아!"

아쉽게도 브로안은 내 손길을 거부했다.

그는 비명을 지르며 깨어났고, 때릴 명분이 없었다.

아깝다.

카인트 공작까지 몬스터의 늪에 다녀왔고, 다들 정신을 가다듬기 위해 드러누웠다.

"형님, 그래도 저번보다 몬스터를 10마리나 더 죽였어요. 다음에는 스무 마리는 더 죽일 거예요."

"너는 네가 죽인 몬스터의 숫자를 세는 거야?"

"당연하죠. 숫자를 안 세면 제가 강해지는지 어떻게 알아요."

"몇 마리나 죽였느냐?"

아드몬드가 오랜만에 브로안에게 묻는다.

"42마리를 죽였습니다."

아드몬드의 표정을 봤을 때는 브라운보다 적게 몬스터를 처리한 것 같았다.

미간에 생긴 주름이 깊어지는 만큼 그의 승부욕은 강해지고 있었다.

각자의 생각에 빠져 있는 동안 카인트 공작이 몸을 일으키며 말했다.

"나만 경험한 것 같구나. 마족이 만든 공간에서의 몬스터와의 전투는 끝이 있는 것 같다. 어느 순간 더 몬스터가 생성되지 않았다. 숫자를 세어 보지는 않았지만 생성되는 몬스터의 숫자에는 한계가 있는 것 같더구나."

육체적인 능력은 브로안이 더 뛰어났지만 전투는 카인트 공작이 몇 수 위였다.

공작은 아이템의 능력을 그대로 활용할 수 있는 이점을 살려 다른 사람보다 더 많은 수의 몬스터를 처치했고, 그 끝을 약간이나마 보고 왔다.

"모두가 끝을 보면 마족이 우리와 다시 싸우려 들겠죠?"

뒷말은 차마 할 수 없었다.

그때가 우리에게 주어진 마지막 시간이라는 말은 입 밖으로 나오지 못하고 다시 들어갔다.

어색한 침묵이 흘렀고, 다들 전투를 복기하며 다음 전투를 대비했다.

나는 조금 떨어진 곳으로 이동했다.

주문을 외우는 장면을 보여줘서 좋을 것은 없었다.

마치 사이비 종교의 구호와 같은 주문을 아무렇지 않게 들려줄 정도의 철면피는 아직 깔지 못했다.

"마르니안 줌베이. 마코크리안 줌베이. 마아드 줌베이."

주변의 기운이 천천히 몸 안으로 들어오기 시작했다.

정제되지 않았기에 기운이 받아들일 수 있는 기운의 양은 얼마 되지 않을 것이다. 공동묘지도 아니었고, 도살장도 아니었기에 큰 기대를 하지도 않았다.

이거 뭐야. 바깥에서 수련하는 것보다 몇 배는 더 많은 기운이 고리로 모여들고 있잖아!

내 생각과는 전혀 다른 결과였다.

무슨 이유 때문인지는 모르겠지만 고리에 들어오는 기운의 양은 엄청났다.

마치 악마의 탑이 고리에게 기운을 내주는 기분까지 들었다.

이 페이스면 고리를 금방 업그레이드시킬 수 있겠는데?

목표는 고리를 노란색으로 변하게 하는 것으로 정했다.

반쯤 포기하고 있었던 고리 강화였지만 여기서라면 가능했다.

* * *

가짜 죽음이라고는 하지만 죽음의 공포를 느끼는 것은 다르지 않다.

우리는 점점 말이 없어졌고, 고통을 잊기 위해 무리하게 몸을 움직였다. 몸을 움직이지 않으면 악몽이 어김없이 찾아왔기 때문이다.

나는 그래도 상황이 좋은 편이었다.

고리를 강화하는 목표가 있었기에 죽음의 공포가 오래 머물지 않았다.

고리의 영능인지, 아니면 고리를 강화하기 위해 집중을 해서 그런지 몰라도 공포를 빠르게 망각했다.

이제는 익숙해진 악마의 탑의 기운이 모공을 통해 들어왔다.

가만히 눈을 감고 입으로는 주문을 외우며 기운을 받아들였다.

바깥의 기운과 다르게 악마의 탑의 기운은 흡수율이 높다.

고리는 온몸을 통해 들어오는 기운을 빠르게 흡수했고, 크기를 이전보다 배는 키웠다.

고리가 이 정도 크기가 되기까지 3주가 걸렸다.

그동안 매일같이 세 번씩 죽음을 경험했고, 조금씩 전투에 익숙해졌다.

죽음을 맞이할 때마다 고리는 반응했다.

주문을 외우며 주변 기운을 받아들이면 고리의 기운은 많아지긴 하지만 새로운 길을 찾지는 않는다. 하지만 죽음을 동반한 전투에 기운은 무의식적으로 살길을 찾아 움직였다.

그리고 이제 길은 어느 정도 완성되었다.

이제는 마지막 한 꺼풀을 벗기면 된다.

악마의 탑의 기운을 더욱 빠르게 받아들이기 위해 몸을 완전히 개방했다.

고리의 색은 조금씩 바뀌기 시작했고, 그 순간 고리가 폭발했다.

고리의 기운이 몸 곳곳을 찔렀고, 금방이라도 몸이 터져 버릴 것 같다.

모든 것을 놓아버리고 기운을 방출해버리고 싶었지만 그럴 수는 없다.

작지만 파괴된 고리의 자리에 새로운 고리가 만들어졌기 때문이다.

손톱보다 작은 크기의 고리는 몸속을 어지럽히고 있는 기운들을 흡수했다.

'조금만 더 빨리 흡수해줘. 이대로는 몸이 버티지 못할 거 같다고.'

내 의지를 알아들었는지 고리는 빠르게 몸을 키워가며 기운을 흡수했고, 다행히 고통에 정신을 잃기 전에 모든 기운을 수습했다.

"고리의 색이 바뀌었네."

짙은 노랑.

제주도에 피어 있는 유채꽃처럼 샛노란 고리였다.

고리에서 느껴지는 에너지의 양은 오히려 줄어들었다.

하지만 실망할 필요는 없다. 에너지의 농도가 훨씬 짙어졌다.

이전의 기운이 눈살을 찌푸리게 하는 꽃가루라면 지금의 기운은 하늘을 뒤덮는 황사였다.

"길도 뚫린 것 같은데. 기운을 어떻게 방출하는 거지?"

고리가 폭발하면서 기운은 몸속에서 날뛰었고, 그 영향으로 고리의 기운들이 만들어놓은 길들이 완공되었다.

하지만 기운을 방출하는 법을 배운 적은 없었다.

느낌이 가는 대로 하면 되겠지.

고리의 농축된 에너지를 손바닥으로 나 있는 새로운 길로 흐르게 했다.

의도적으로 천천히 움직였고, 기운은 길을 따라 손바닥으로 흘러나왔다.

"이게 고리의 에너지구나."

손바닥에는 얇은 막이 씌워져 있었다.

고리의 색과 같은 노란 막이 손바닥을 감싸고 있었다.

바위를 향해 손바닥을 내려쳤다.

퍽!

스펀지에 손자국을 남기는 것처럼 바위에 손자국이 생겼다.

희미한 자국이었지만, 강해진 것은 분명했다.

기운을 방출하는 무기를 하나 더 얻은 셈이었다.

아직은 완벽히 사용법을 터득하지 못했지만 기운을 사용할 방법을 알려줄 사람은 있었다.

브루니스 왕국의 유일한 오러 마스터였던 카인트 공작이라면 오러 사용법에 능통할 게 분명하다.

내가 가진 기운이 오러는 아니었지만 사용법은 다르지 않을 것이다.

그리고 브라운도 있다. 그에게 배우는 것이 탐탁지는 않았지만 그는 여기에 있는 사람 중에서, 아니 전 세계 사람들 중에서도 손꼽힐 정도로 기운을 뛰어나게 운용할 수 있는 존재였다.

"공작님, 오러 활용법에 대해서 배우고 싶습니다."

카인트 공작은 갑자기 내가 오러를 배우고 싶다고 하니 빵을 먹다가 돌을 씹은 듯한 표정을 지었다.

"오러가 없어진 지금 오러 사용법을 배워서 무엇을 하려고 하는 건가?"

나는 고리의 기운을 손바닥에 모았다. 노란 기운이 얇은 막을 만들어내자 카인트 공작은 바닥에 스프링이라도 박혀 있는 듯 순식간에 몸을 일으켰다.

"그건 오러가 아니냐!"

넋을 놓고 손에 머물러 있는 노란색의 기운을 한참이나 바라보던 공작 덕에 나는 손바닥만 앞으로 내민 어색한 자세로 카인트 공작이 정신을 차릴 때까지 기다려야 했다.

"오러가 아니구나. 비슷하지만 느낌이 달라."

"그렇습니다. 스승님한테 배운 육체 강화술이 더욱 강화되면서 오러와 비슷한 능력을 가지게 되었습니다. 제가 이런 종류의 기운을 사용하는 법을 알지 못해 어떻게 활용해야 되는지 잘 모르겠습니다. 실례가 되지 않는다면 알려주실 수 있겠습니까?"

사실 오러 활용법을 카인트 공작에게 알려달라는 것은 무례한 행동일 수도 있었다.

사기를 당해 전 재산을 잃어버린 사람에게 돈 버는 방법을 알려달라고 하는 것과 다르지 않았다.

하지만 카인트 공작은 시기나 질투를 하기보다는 대견하다는 눈으로 나를 보고는 흔쾌히 허락했다. 역시 북부 사람들의 존경을 한 몸에 받는 사람다웠다.

"오러를 사용하는 법을 익히기 위해서는 일단 네가 사용하는 기운을 완전히 장악해야 한다. 손바닥에 오러를 맺히게 할 수 있는 걸로 보아 어느 정도는 기운을 통제할 수 있는 것 같으니 내가 알고 있는 기술들을 알려주겠네. 먼저 오러를 한 점으로 모으는 기술을 시작해 보지. 가장 기본적인 기술이지만 오러 활용법은 여기서부터 시작하네."

손바닥에 넓게 퍼진 오러를 점으로 모으는 기술은 생각보다 어려웠다.

워낙 자유로운 고리의 기운이었기에 압축되기를 거부했다.

“손바닥에 가상의 점을 그리거라. 그리고 그 점에 기운을 모으거라. 처음은 쉽지 않겠지만 네가 사용하고 있는 기운의 주인이 너라는 것을 자각해야 한다. 처음부터 기운을 점으로 모으기는 힘들 게다.”

일단 수련이 시작되자 공작은 말투부터 바뀌었다.

카인트 공작의 말대로 기운을 모으는 일은 힘들었다.

아무리 집중해 봐도 넓게 퍼져 있는 기운을 손바닥으로 모을 수가 없었다.

그래도 하면 할수록 약간이나마 성과가 있었기에 포기할 수는 없었다.

“내가 오러를 한 점으로 모으는 데 세 달이 걸렸으나, 너는 나보다 기운을 통제하는 능력이 뛰어나 보이니 더 빠르게 할 수 있을 게다.”

기운을 모으는 수련은 마치 입구가 막힌 주사기를 압축시키는 것 같았다.

어느 정도까지는 수월하게 모을 수 있지만 한계점에서는 요지부동이었다.

손바닥 안으로까지는 어떻게든 모을 수 있었지만 점으로 모으기 위해서는 꽤나 오랜 시간이 소요될 것 같았다.

한참 수련에 재미를 붙여가고 있을 때 브라운이 나를 불렀다.

벌써 시간이 그렇게 된 건가.

마족의 수련을 할 시간이었다.

엄청난 숫자의 몬스터와 전투를 치를수록 전투가 익숙해졌고, 하루가 다르게 상대할 수 있는 몬스터의 수가 늘어갔지만 마지막은 항상 죽음으로 끝이 났다.

"그럼 좋은 꿈을 꿔라."

몬스터와의 전투를 좋은 꿈이라고 말하다니.

죽음의 고통이 좋은 꿈이라면 가위 눌림은 천국일 것이다.

미친 마족 놈.

* * *

익숙한 어둠이 찾아왔다.

아무것도 보이지 않는 어둠에서 곧이어 몬스터들이 튀어나온다.

기형적으로 꺾인 손과 다리.

몸체에 종기가 나 있는 혐오스러운 몬스터, 다양한 모습을 하고 있는 몬스터들이 어김없이 달려든다.

오늘은 다르다.

고리가 강화됨에 따라 브라운이 막아놓은 문양도 해제되었고, 새로운 방법으로 기운을 사용하는 실마리를 얻었다.

일단은 육체의 능력을 키워야 했고, 문양에 기운을 흘려보냈다.

노란 고리에서 뿜어져 나오는 농축된 노란 에너지에 문양 또한 노란색으로 빛났고, 온몸에 힘이 넘쳤다.

몬스터의 움직임이 너무 느려 보였고, 내 생각보다 배는 빠르게 손과 발이 움직였다.

과도한 힘을 쓸 필요도 없었다.

기운을 손에 감싼 상태에서 가볍게 잽만 날려도 몬스터들은 터져 나갔다.

이렇게 쉽게 상대하니까 슈팅 게임을 하는 기분이 들었다.

30마리가 넘는 몬스터를 없애버렸지만 계속해서 몬스터들은 어디에선가 쏟아져 나왔고, 정신없이 몬스터들을 처리했다.

손을 감싸고 있는 기운을 다시 고리로 돌려보냈다. 문양의 힘으로 강해진 육체의 힘만으로도 상대가 가능한 몬스터들이었고, 기운을 아낄 필요가 있었다.

"카인트 공작님 말대로 정말 몬스터가 더 나오지 않는 순간이 오는구나."

끝이 없을 거라고 생각했던 몬스터와의 전투는 끝이 보이기 시작했다.

처음에는 꾸준히 30마리 이상의 몬스터가 생성되었지만 지금은 10마리 이하의 몬스터가 생성되었고, 얼마 지나지 않아 고독한 어둠이 찾아왔다.

"이제 끝난 건가? 마족의 수련 방식이 마음에 들지는 않지만 그래도 성공했다니 뿌듯하네."

어떻게 하면 고독한 공간에서 빠져나갈지 생각하고 있는 순간 전방의 공간이 일렁거렸다.

출구가 생기는 걸까?

출구는 아니었다. 몬스터가 생성되는 과정으로 보였다.

몬스터보다 조금 더 큰 존재가 만들어지고 있었다.

나와 비슷한 키와 체형. 머리카락의 길이마저 비슷하군.

"저건 나잖아!"

거울이 내 앞에 놓여 있는 것이 아니라면 지금 내 앞에 있는 존재가 설명이 되지 않는다.

"그래, 나는 너다. 네가 사용하는 모든 기술을 나도 사용할 수 있다. 하지만 나는 제약이 없는 존재다. 네가 나를 이길 수 있을까?"

다른 사람이 나를 욕한다면 같이 욕이라도 해주겠지만 나랑 똑같은 모습을 하고 있는 존재가 그러니 입이 굳어버렸다.

"벌써 당황했나? 병신이군. 죽어라."

나와 같은 모습을 하고 있는 존재의 팔 전체가 노란 기운으로 물들어 있었다.

문양을 사용하는 것은 물론이고 고리의 기운을 팔 전체에 두르고는 공격해 왔다.

능력치가 동일하다면 결국 정신력 싸움이다.

나 또한 문양을 활성화시키고 고리의 기운을 팔 전체에 둘렀다.

주먹과 주먹이 부딪쳤다.

바위에 손자국을 낼 정도의 위력이 있는 기운끼리 부딪쳤고, 나는 어깨가 묵직해지는 통증을 느꼈다.

이 고통을 내 모습을 하고 있는 상대도 느낄 것이다.

먼저 손을 빼는 것은 내 자신에게 지는 일이다.

자존심이 걸린 문제였다.

브라운처럼 압도적으로 강한 상대에게 패하는 것은 그렇다 쳐도 완전히 동등한 입장의 상대에게 지고 싶지는 않았다.

주먹을 서로 맞대고 있는 상황에서 먼저 움직인 것은 상대였다.

왼쪽 벨트에 달려 있는 단검을 꺼내 드는 그였고, 나 또한 단검을 꺼내 들었다.

악마의 탑 공략을 위해 드래곤 무기의 봉인을 하나 풀어서 가지고 왔다.

단검은 재생 불가 능력과 더불어 상처를 입은 대상을 상태 이상으로 만드는 능력을 가졌다.

이 단검에 작은 상처라도 입으면 그대로 끝이었다.

재생 불가에서 몸까지 움직이지 못한다면 이미 목숨을 잃은 것과 다름없다.

서로 주먹을 회수하고 몸을 낮추었다.

한 번의 공격으로 끝날지도 모르기에 쉽사리 공격을 하지 못하고 있었다.

이번에도 먼저 움직인 쪽은 상대였다.

그는 내 왼쪽 옆구리를 노리고 검을 찔러 들어왔고, 나는 한 발 뒤로 물러서며 상대의 틈을 노렸다.

그의 하체가 비어 있었다.

나는 찌르기 동작을 하기 위해 한 발을 앞으로 내밀고 있었고, 균형을 뺏기 위해 다리를 걷어차려고 했다.

하지만 그는 내 공격을 미리 예상하고 있었던지 오히려 나에게 한 발 더 다가와 발차기를 할 공간을 주지 않았다.

우리는 서로의 숨결을 느낄 수 있을 정도로 가까이 있게 되었다.

눈앞에 비어 있는 상대의 복부가 보였다.

긴 생각을 하지 않고 비어 있는 복부로 검을 움직였다.

퍽!

검이 살을 파고드는 소리가 들려왔다.

공격은 내가 했지만 고통은 상대가 아니라 나의 옆구리에서 느껴졌다.

"너는 아직 너의 약점을 모르고 있군. 너는 공격할 때면 왼쪽 옆구리가 열리지."

내 검은 그의 복부 바로 앞에서 멈춰 있었다.

약간의 차이가 승패를 결정지었다.

그는 나의 약점을 알고 있었고, 나는 나의 약점을 모르고 있었던 것이 패인이었다.

"이만 죽어라."

나는 상태 이상에 빠져 있었기에 손가락 하나 움직이지 못하며 내 모습을 하고 있는 존재가 찌르는 검에 목을 내주어야 했다.

*　　*　　*

"헉! 아아아아!"

"형님, 정신이 드세요? 이번에는 꽤나 오래 있다가 오셨어요."

옷에 피 한 방울도 묻어 있지 않았지만 목에서 흘러내리는 피의 끈적한 감촉이 아직도 생생했다.

고통에 손발이 저려왔고, 한동안 아무런 생각을 할 수가 없었다.

이런 일이 한두 번이 아니었기에 모두 담담하게 지켜보고 있었다.

죽음의 고통을 느끼고 난 후면 한동안 아무것도 할 수가 없다.

강한 정신력을 가지고 있는 카인트 공작도, 저돌적으로 움직이는 브로안도 매번 나와 다르지 않는 반응을 보였다.

고리의 기운으로 몸을 따듯하게 만들고 크게 심호흡을 했다.

여전히 손발은 저려왔지만 대화할 정도의 정신은 돌아왔다.

"새로운 경험을 하고 왔습니다. 몬스터를 모두 처리하면 다른 존재가 튀어나옵니다."

"형님! 몬스터를 다 처리했다고요?"

"몬스터를 처리하면 어떤 존재가 나오느냐?"

브로안의 질문에 가볍게 고개를 끄덕여 주고 카인트 공작의 질문에 답했다.

"나와 완전히 같은 모습을 하고 있는 존재가 나옵니다. 제가 가지고 있는 무기는 물론이고 능력까지 완벽히 똑같은 상대입니다. 하지만 그 상대는 저의 약점을 알고 있었습니다. 같은 능력을 하고 있다고는 하지만 그는 저를 저보다 더 잘 알고 있기에 이길 수가 없었습니다."

사악한 웃음을 지으며 내 목을 찌르는 끔찍한 장면이 떠올랐다.

내 얼굴을 하고 있는 존재가 나를 죽이는 경험은 지금까지 경험한 어떤 일보다 더러운 기분을 안겨주었다.

"몬스터 다음은 거울상이라는 말이군."

"거울상이 무슨 뜻입니까?"

"예전에 마법사들이 활발히 활동할 때 오러 유저 이상의 기사들은 자신을 되돌아보기 위해 마법사들의 도움을 받아 자신과 같은 능력을 가진 존재와 상상 속에서 싸우곤 했지. 자신의 약점을 아는 것은 물론이고, 새로운 깨달음을 얻을 수도 있는 수련이지만 정신적인 충격이 심한 수련이기에 도저히 극복할 수 없는 한계가 찾아올 때만 하던 수련이었다네."

카인트 공작은 거울상 수련 방법의 위험도와 장점을 설명해주었다.

확실히 거울상과 싸운 이후 나는 이전에는 알지 못했던 내 약점을 더욱 자세히 알 수 있게 되었다.

하지만 다시 거울상과 싸우고 싶지는 않았다.

내 얼굴을 하고 있는 거울상에게 죽음을 당하는 기분은 너무 더러웠다.

"거울상에게 이기기 위해서는 약점을 줄이고, 자신을 완벽히 통제할 수 있어야 한다네. 그리고 수련을 통해 무의식적으로 공격할 수 있는 단계에 올라서야만 한다네. 오러와 비슷한 기운을 수련하는 것도 중요하지만, 거울상에게 이기고 싶으면 육체의 극한까지 사용하는 훈련을 해야 될 걸세. 육체의 한계가 찾아와야만 무의식을 사용할 수 있으니 말일세."

첩첩산중이다.

아직 고리의 기운을 점으로 모으는 것도 성공하지 못했는데, 이제는 무의식을 이용하는 수련까지 해야 했다.

"가장 좋은 방법은 단순한 동작을 무한 반복하는 것이네. 내가 알려준 검식을 기억하고 있겠지? 우리 카인트 공작가의 기사들이 사용하는 검식이니 결코 뒤떨어지지 않는 검식이네. 앞으로 그 검식을 육체의 힘만을 사용해서 반복하게나."

나에게 틀린 방법을 알려줄 리 없는 카인트 공작이었다.

검식을 수련하기 위해 보관 상자에서 특별한 능력이 없는 검을 꺼내 반복 수련을 했다.

그런 나의 옆에서 아드몬드와 브로안이 같은 동작을 반복하고 있었다.

아직 거울상을 만나지 못한 그들이지만 카인트 공작의 지시에 따라 대비를 하였다.

브라운은 우리의 모습에 잠시 관심을 가지는 듯 보였지만 금세 흥미를 잃고는 눈을 감았다.

아직은 우리가 그의 성에 차지 않는 것 같았다.

이런 수련을 한다고 해서 희망이 있을까?

거울상을 이기고 수련이 끝이 난다고 해서 우리가 브라운을 이길 수 있을 거라는 희망은 거의 들지 않았다.

하지만 우리는 수련을 멈출 수 없었다.

희망 없이 살아가는 것은 죽는 것보다 못한 일이기에 더욱 육체를 혹사시켰다.

무의식적으로 몸을 움직이기 위해 반복 수련을 했지만 쉽지 않았다.

익숙하지 않은 검식을 완전히 내 것으로 만들어야 가능한 일이었는데, 몇 년 동안 반복 수련을 한 기사들도 하지 못한 일을 단기간에 해내기란 부엌칼도 제대로 들어보지 않은 나에게는 불가능한 일이었다.

“잡생각은 수련에 방해된다. 검식에 집중해라.”

생각이 꼬리를 물어 자세가 흐트러졌던 건가?

자신의 수련을 뒤로하고 우리의 수련을 봐주고 있는 카인트 공작의 지적에 다시 자세를 바로 하고 검을 휘둘렀다.

마족의 수련은 항상 죽음으로 끝나기에 정신적인 고통이 심했지만 카인트 공작은 다른 사람보다 빠르게 회복할 수 있었다.

그가 가지고 있는 의지의 검 덕분이었다.

내가 거울상과 싸우기 시작한 지도 2주가 지났다.

카인트 공작과 브라운도 거울상을 만났고, 아드몬드도 어제 거울상과 처음 대면했다.

우리 중 거울상과의 대결에서 승리한 사람은 카인트 공작뿐이었다.

그는 이미 거울상과 비슷한 수련을 여러 번 해보았기에 거울상에 대처하는 방법을 알고 있었고, 오히려 강한 몬스터를 상대하는 것보다 쉽게 거울상을 파했다.

하지만 카인트 공작은 기뻐하지 않았다. 거울상을 끝으로 마족의 수련이 끝날 거라는 예상과는 달리 새로운 적이 어둠에서 튀어나왔기 때문이었다.

거울상의 뒤에는 모습을 감춘 몬스터가 나온다고 했다.

카인트 공작은 그 존재의 공격을 제대로 방어하지 못했다.

어떻게 당했는지도 인지하지 못하고 목이 잘려 나갔다고 한다.

카인트 공작은 지금의 수련 방식으로 그 존재를 이기는 데 한계가 있음을 인지했고, 우리를 수련시킴에 전력을 다했다.

카인트 공작은 우리에게 희망을 걸었다.

그의 기대를 저버릴 수는 없다.

카인트 공작이 지도해 주는 대로 검을 휘둘렀다.

내가 무의식적으로 몸을 움직인 적이 있었나?

가장 먼저 떠오르는 것은 줄질을 하는 동작이었다.

금형을 만들기 위해 몇 년 동안 하루에 10시간 이상씩 같은 동작을 하루에도 수만 번씩 반복했었다.

그래서 줄질을 할 때는 의식하지 않아도 손이 저절로 움직였다.

하지만 검과 공구는 차이가 있다.

일단 공구를 사용할 때는 몸 전체를 움직이지 않았고, 팔을 30㎝ 간격으로 움직일 뿐이었다.

대부분의 검식은 팔 전체를 사용하거나 어깨 관절을 사용해야 했다.

검식을 사용하는 것이 강한 공격을 하기에 적합한 것은 사실이었지만 이대로는 몇 년이 걸려야만 거울상을 이길 수 있을 것이다.

하지만 공구를 사용하는 동작을 응용해 검식을 만든다면 보다 빠르게 무의식을 사용한 동작을 할 수 있다.

그래서 나는 카인트 공작과의 상의를 통해 하나의 검식을 만들었다.

기사들의 화려하고 강력한 동작이 아닌 암살자들이나 사용할 법한, 움직임을 최소화한 검식이었다.

카인트 공작은 왕국 제일의 기사답게 많은 종류의 검식을 알고 있었고, 내게 맞는 새로운 검식을 어렵지 않게 만들어내었다.

나에게 가장 익숙한 동작이면서 공격력을 최대한 끌어내는 검식.

카인트 공작은 이 검식을 장인의 검식이라고 불렀다.

"드디어 성공했다!"

장인의 검식을 수련한 지 한 달이 지난 오늘, 드디어 검식의 발현에 성공했다.

검식에 익숙해진 이후 매일같이 카인트 공작과의 대련을 통해 검식의 완성도를 높였고, 오늘 공작과의 대련에서 처음으로 무의식적으로 검식을 사용하는 데 성공했다.

"괜찮으십니까?"

공작의 옆구리에서는 내가 만든 상처로 인해 피가 흘러나오고 있었다.

급히 보관 상자에서 치료제를 꺼내 공작의 상처 부위에 발랐고, 상처는 그리 깊지 않은지 피는 금세 멎었다.

"이런 상처 따위는 금방 회복된다네. 그것보다 드디어 성공했구나. 오늘은 꼭 거울상을 이기도록 하게나."

공작의 상처를 살펴본 후 검식을 조금 더 수련하자 마족의 수련을 할 시간이 다가왔다.

그 지옥 같은 수련이 오늘따라 기다려졌다.

나는 브라운이 부르기도 전에 그의 앞으로 걸어갔고, 그는 아무런 말도 하지 않고 내 머리 위에 목걸이를 올렸다.

*　　　*　　　*

이제는 익숙해진 어둠이 나를 반겼다.

한 번에 30마리 내외로 튀어나오는 몬스터들을 생성되는 속도보다 더 빠르게 소멸시켰다.

몬스터들의 공격 패턴은 이미 너무도 익숙해져 팔과 다리의 문양만 활성화시켜도 충분히 상대할 수 있었다.

이런 몬스터를 상대로 수십 번이나 죽었다니.

내가 강해졌다는 생각보다 몬스터들이 약해졌다는 생각이 들었다.

몬스터가 사라지자 공허가 찾아왔다. 그리고 그 공허를 뚫고 한 존재가 나왔다.

나와 같은 모습을 하고 있는 거울상이 주인공이었다.

"오늘은 어떤 방법으로 죽여줄까? 목을 잘라 죽이는 것도 이제는 지루해졌다."

나와 같은 아이템을 사용하는 거울상이다.

아이템의 능력은 변수가 된다. 그랬기에 이곳에 오기 전에 아이템을 풀어놓고 왔다.

오로지 아무런 능력이 없는 작은 단검 하나가 전부였다.

"너를 너무 오래 봤어. 이제는 헤어질 때가 된 거 같지 않아?"

"오늘은 자신감에 차 있군. 특별히 잔인하게 가지고 놀아주마."

거울상의 비릿한 웃음에 욕이 튀어나올 것 같았지만 내 얼굴을 하고 있는 거울상에게 욕을 하는 것은 누워서 침 뱉는 기분이 들었기에 감정을 억눌렀다.

흥분을 해서는 안 된다. 최대한 냉정하게.

나는 금형을 만들 때마다 주문 같은 말을 내뱉곤 했다.

'나는 기계다, 나는 기계다.'

머리는 냉정하게, 몸은 뜨겁게 하기 위한 주문이었다.

기계와 같은 정밀도를 얻기 위해 되뇌었던 주문이 지금도 필요했다.

무의식적으로 검식을 사용하기 위해서는 생각은 필요 없다.

오로지 본능만으로 놈과 상대해야 했다.

"그렇게 멍하니 있을 생각이면 내가 먼저 공격하마."

거울상은 단검을 빼 들고는 천천히 다가왔다.

그의 움직임은 나와 완전히 같다. 그가 어떤 공격을 할지 그려졌다.

하지만 거울상도 내 움직임을 예측하고 있을 것이다.

거울상은 단검의 간격에 내가 위치하자 고리의 에너지를 폭발시켰고, 온몸의 문양이 빛을 냈다. 그의 손과 다리에는 노란색의 기운이 막을 이루고 있었다.

거울상은 내 하단을 노리고 발차기를 해왔다.

하체를 공격당하면 상체가 열리는 약점이 있다는 것을 노리고 한 공격이었다.

하지만 약점을 보완하기 위해 나는 신체의 균형을 잃지 않는 수련을 계속해서 해왔고, 더는 하체 공격에 약점을 드러내지 않았다.

거울상도 내가 그런 약점을 보완했다는 것을 알고 있었다.

하체 공격을 하는 것은 거리를 좁히기 위한 수단이었다.

거울상은 거리를 순식간에 좁혀 품 안에 들어왔다.

그의 검은 복부를 노리고 들어왔다.

푹!

검이 살을 파고드는 소리가 들려왔다.

거울상에게 당할 때마다 들었던 소리다.

붉은 피가 바닥을 적셨다.

하지만 피의 주인은 내가 아니었다.

내 단도가 그의 배에 꽂혀 있다.

생각할 시간을 주지 않고 순식간에 거리를 좁힌 거울상의 판단이 오히려 나에게 도움이 되었다.

거리가 좁혀졌기에 무의식적으로 장인의 검식을 펼쳤고, 그의 복부에 검을 박아 넣을 수 있었다.

"드디어 악연은 오늘 끝이네."

쓰러져 있는 거울상의 목에 단검을 다시 쑤셔 넣었고, 몬스터와 마찬가지로 거울상은 사라져 버렸다.

다시 공허가 찾아왔고, 이제는 카인트 공작이 상대했던 존재를 만날 차례였다.

온몸의 문양을 최대로 활성화시켰고, 어디서 날아올지 모르는 공격에 대비했다.

첫 공격에 치명상을 당하지만 않는다면 기회가 있다.

고리의 에너지를 최대한 끌어냈고, 감각은 예민해져 있다.

오른쪽 어깨!

싸늘한 느낌이 우측에서 느껴졌다.

오른팔에 고리의 기운을 최대한 담아 방어했다.

쾅!

굉음과 함께 통증이 찾아왔다.

고통과 함께 바닥을 구르기는 했지만 아무런 성과가 없는 건 아니었다.

나를 공격한 존재의 실루엣을 봤다.

어렴풋이 보긴 했지만 생각보다 작은 크기의 존재였다.

내 가슴 정도 오는 키에 마른 체형을 봐서는 10대 중반의 소년 같은 느낌이 들었다.

공격에 실린 힘은 엄청났지만 견디지 못할 정도는 아니다.

그리고 고리의 기운을 최대한 활성화시키면 공격의 방향을 느낄 수도 있다.

펑!

공격을 느낄 수 있지만 반격은 무리였다.

방어에만 집중해도 피해를 입었다.

점점 몸에 상처는 늘어났다. 고리의 기운과 몸에 새겨진 문양의 능력으로 회복은 빠르게 되고 있었지만 이대로는 이길 가능성이 없다.

결심을 했다. 어차피 질 거라면 한 방은 먹이고 끝내야 하지 않겠어?

방어를 포기하고 딱 한 번의 공격만 성공시킬 것이다.

이번 전투에서 죽는다고 해서 실제로 죽는 것도 아니기에 가능한 선택이었다.

내가 목숨이 여러 개 있는 전설상의 신수도 아니고, 목숨을 담보로 이런 결정을 내리지는 못하지. 목숨은 귀한 것이니까.

싸늘한 느낌이 이번에는 정면에서 느껴진다.

방어를 포기했다는 결심을 해서일까? 장인의 검식을 장면을 향해 펼쳤고, 찌르는 감촉이 느껴졌다.

신음 소리가 들려오지는 않았지만 분명 공격은 성공이었다.

그리고 내 몸에도 통증이 찾아오지 않았다.

역시 최선의 방어는 공격이지.

어둠이 점점 옅어지기 시작했다. 죽지 않으면 절대 깨지지 않는 어둠이 점점 밝은 빛으로 물들어갔고, 정신이 들었다.

가장 먼저 보인 것은 안타깝게도 브라운의 얼굴이었다.

“오호! 마족의 수련을 성공했군. 어디 가서 성인 마족의 능력을 가지고 있다고 자랑해도 좋아.”

마족이 하는 칭찬이었지만 기분이 나쁘지는 않았다.

“이제는 슬슬 2차 대결을 할 때가 되었다고 생각하지 않나? 너무 오래 기다렸다고.”

미처 예상하지 못한 브라운의 반응이었다.

아직은 그를 이길 실마리를 풀지 못했다.

고리가 강해졌고, 전투의 경험이 쌓였다고는 하지만 브라운의 벽을 넘어설 수는 없었다.

“그래, 아직은 때가 아니지. 급히 먹으면 체하는 법이야. 다른 인간들이 마족의 수련을 마무리할 때까지는 기다려주지. 시간은 남아도니까.”

다행이었다.

브라운은 아쉬움이 잔뜩 남아 있는 얼굴을 하고는 지정석으로 돌아갔다.

이제는 정말 그를 이길 방법을 찾아야 했다.

자신의 차례를 기다리며 한참 수련을 하고 있는 동료들에게로 걸어갔다.

좋은 소식과 나쁜 소식을 전해야 했다.

"마족의 수련을 끝냈습니다."

"정체를 알 수 없는 존재를 이긴 것인가? 수고했네."

상기된 얼굴로 칭찬을 하는 카인트 공작에게는 미안하지만 나쁜 소식을 전해야 했다.

"우리에게 남은 시간이 얼마 되지 않아 보입니다. 마족의 인내심에 한계가 조만간 찾아올 것 같습니다. 우리 중 한 명이라도 더 마족의 수련을 통과하면 목숨을 건 전투가 다시 시작될 것 같습니다."

"어차피 이대로 평생 살 수는 없지 않습니까. 이미 마음의 준비는 하고 있습니다. 이대로 살다가는 제가 미쳐 버리고 말 겁니다. 미쳐 죽으나, 싸우다 죽으나 매한가지 아닙니까."

"그래, 브로안의 말이 맞네. 긴장을 하되 두려워해서는 안 될 걸세."

말은 쉽지. 마족의 힘을 직접 경험했기에 그가 얼마나 두려운 존재인지 다들 알고 있었다.

꼭 싸워서 이겨야만 빠져나갈 수 있을까?

다른 방법은 없을까?

악마의 탑을 빠져나가는 법은 데빌 도어를 통해 나가는 방법뿐이다.

하지만 데빌 도어는 브라운이 지키고 있었다.

데빌 도어가 작동되고, 우리가 빠져나가기 위한 시간은 1분이면 족하다.

1분만 그가 우리에게 접근하지 못하게 할 방법이 있을까?

하나의 방법이 머리에 떠오르긴 했지만 실현 가능성이 높지는 않았다.

하지만 지푸라기라도 잡아야 했다.

아직은 시간이 남아 있으니 계획을 정밀하게 세워야겠어.

복잡한 심정으로 다시 수련을 시작하는 동료들을 두고 고민에 빠져들었다.

고민이 깊어질수록 가족들이 생각났다.

나를 항상 아이로 보는 아버지도 보고 싶었고, 어머니의 푸근한 품도 그리웠다.

그리고 항상 틱틱거리는 동생까지도 너무 보고 싶었다.

그래, 이대로 죽을 수는 없지.

어떻게든 빠져나가고 만다.

독하게 마음먹자. 저런 변태 마족에게 당하려고 지금까지 살아온 게 아니잖아.

Chapter 7

정저와(우물 안 개구리) I

"브로안, 축하해."

다들 축하의 말을 던지지만 웃고 있는 사람은 없다.

브로안은 카인트 공작의 지도하에 마족의 수련을 마무리할 수 있었다.

그가 얼마나 노력했는지 알고 있었기에 축하를 해줘야 했지만 마냥 좋아할 수는 없었다.

브로안이 마족의 수련을 통과하자 브라운의 인내심에는 큰 금이 갔고, 며칠 내에 우리는 그를 상대로 다시 전투를 치러야 했다.

우리가 강해진 만큼 브라운은 전력을 다할 것이기에 목숨을 장담할 수가 없었다.

그를 상대할 방법을 구상했고, 작전도 이미 완성했지만 너무도 위험 부담이 큰 작전이었다.

시간이 더 필요했지만 우리에게 주어진 시간은 끝이 나버렸다.

브라운이 한두 달 정도만 더 시간을 끌었다면 좋았겠지만 그런 말을 차마 할 수 없었다.

죽음의 공포가 얼마나 정신을 붕괴시키는지 알고 있기에 그에게 고통을 강요하는 것은 인간으로서 할 수 없는 말이었다.

우리는 최대한 몸 상태를 끌어 올리는 데 집중했다.

그리고 마지막 만찬이라고 생각하고 보관 상자에 들어 있는 상품의 음식들을 섭취했다.

브라운이 감고 있던 눈을 떴다. 장난을 좋아하는 브라운은 미세한 웃음을 항상 띠고 있었다. 하지만 지금 그에게 걸려 있는 미소는 어딘가가 이상했다.

비틀어진 입술을 통해 때가 왔다는 것을 느낄 수 있었다.

"충분히 시간을 준 것 같은데. 더는 참을 수가 없다. 내 몸에 흐르는 마족의 피가 터져버릴 것 같다고."

지금까지 보아왔던 그가 아니었다.

눈에는 광기가 서려 있었고, 몸에서는 투기가 느껴졌다.

눈앞에 있는 사냥감을 지켜만 봐야 했던 맹수의 모습이 그에게 투영되었다.

브라운이 듣지 못할 정도로 작은 목소리로 말했다.

"다들 준비한 대로만 움직이면 우리에게도 충분히 승산이 있습니다. 특히 브로안, 네가 중요해. 절대 흥분하면 안 된다."

"알겠어요. 몸은 뜨겁게, 가슴은 차갑게. 맞죠?"

그의 말에 미소로 답해주고는 자세를 바로 했다.

우리를 향해 천천히 걸어오는 브라운에 대비해야 한다.

브로안은 방패를 치켜들었고, 우리는 사방으로 퍼졌다.

"전과 다르지 않은 진형이네. 발전이 없는 건가, 아니면 이 진형 말고는 나를 상대할 방법이 없는 건가? 큭큭……. 뭐, 상관은 없지. 다 부숴버리면 되니까. 제발 부탁이니 오래 견뎌줘. 내 피가 진정이 될 때까지만 말이야."

브라운은 광기 어린 미소를 지으며 천천히 다가왔다.

피에로의 광기와 같은 그의 공격은 단순했다. 막무가내로 팔과 다리를 움직이며 브로안의 방패를 때렸다.

하지만 최선을 다하고 있지는 않았다.

예상한 대로다. 브라운은 오래 기다린 만큼 우리를 빨리 죽이지 않을 것이었다.

지금을 놓치면 다음은 없다.

"지금입니다!"

내가 신호를 주자 2명의 검이 빛살이 되어 브라운에게 향했다.

"역시 공격이 한층 강해졌네. 하지만 아직은 부족하지. 최선을 다하라고."

브라운은 여전히 한 팔로는 브로안의 방패를 두들기면서 공작과 아드몬드의 공격을 막아내었다.

그의 움직임은 점점 빨라지고 있었다. 뜨거워지는 몸만큼 자제력의 고삐가 풀리고 있다.

고삐 풀린 망아지를 가둬야 한다.

이미 레드 식스와 영혼의 고리를 작동시킨 상태였고, 우리에게 뒤는 없었다.

"이거나 먹어라!"

브로안은 체중을 실어 방패를 뻗었다.

하지만 브라운은 방패를 손으로 지그시 눌렀고, 몬스터보다 강한 힘을 가지고 있는 브로안이 뒤로 밀렸다.

이제는 내가 나설 차례다.

고리의 에너지를 완전히 개방시켰다.

이제는 익숙해진 노란빛이 팔뚝까지 번졌다.

마족의 수련을 통과한 이후 매일같이 노력한 결과였다.

문양의 힘으로 강해진 능력치의 영향으로 다른 동료들의 움직임도 한결 빨라졌다.

우리가 강해질수록 브라운의 광기도 짙어졌다.

브라운의 길고 곧은 손가락에는 파란색의 기운이 어리기 시작했고, 브라운의 방패에 선명한 손자국을 만들고 있다.

나는 양손을 다 사용하고 있는 브라운의 뒤를 노리며 몸을 움직였다.

성벽처럼 웅장해 보이는 그의 등이 사정거리 안으로 들어왔고, 나는 그의 등을 노리고 노란색으로 물들어 있는 손을 뻗었다.

퍽!

바위도 뚫고 들어가는 힘이 실려 있는 주먹이다. 하지만 브라운에게는 잠시 고개를 돌려 미소를 짓게 하는 위력밖에 발휘하지 못했다.

"좋은 주먹이야. 수련시킨 보람이 있어. 조금 더 신나게 놀 수 있겠어. 크하하하."

미친 듯이 웃으며 공격해 오는 그의 공격에 우리는 점점 뒤로 밀려 나갔다.

"이렇게 도망만 가면 어떻게 하겠다는 거야? 공격이 최선의 방어라고 마족의 수련을 통해 배웠잖아. 공격해 보라고. 내 살을 가르고 뼈를 조각내라고. 내 목이 탐스럽지 않아? 목을 잘라내는 상상을 하며 공격을 하라고."

브라운은 길게 세운 손톱으로 자신의 목을 긁었다.

상처를 따라 보라색의 피가 흘러나왔고, 그는 자신의 피가 묻은 손가락을 핥으면서 후퇴한 우리에게 다가왔다.

우리는 다시 그에게 달려들었다. 방어를 포기하고 오로지 그의 옷깃이라도 자르겠다는 심정으로 집요하게 공격해 들어오는 우리에게 만족스러운 표정을 짓는 브라운은 가장 약한 아드몬드의 팔목을 비틀었다.

"으아아아!"

아드몬드는 뼈가 살을 뚫고 나왔고, 그의 입에서는 고통에 찬 비명 소리가 터져 나왔지만 그의 공격은 멈추지 않았다. 여기서 멈출 수 없다는 그의 강인한 의지가 느껴졌다.

카인트 공작은 검이 주는 길이의 이점을 포기하고 브라운의 품으로 파고들었다.

그 순간 나도 브라운의 목을 노리고 공격해 들어갔다.

또각!

카인트 공작의 어깨에는 브라운의 손자국이 나 있었다. 그의 어깨뼈가 부러졌다.

공작이 만들어준 기회를 놓칠 수는 없다.

나는 장인의 검식을 이용해 브라운의 목에 근접할 수 있었다.

"아깝네. 손에 검이 들려 있었다면 내 목에 닿을 수 있었겠는데."

브라운의 목 바로 앞에서 내 주먹은 멈춰 있었다.

팔목에서 엄청난 통증이 찾아왔다. 내 팔목을 잡고 있는 브라운의 손에서 점점 강한 힘이 느껴졌고, 팔목은 버티지 못했다.

"지금입니다! 피하세요!"

팔목을 부러뜨리고 나서야 나를 놓아준 브라운이었고, 나는 바로 후퇴를 지시했다.

펑!

마차 2대 분량의 아크타르가 폭발했다.

우리는 브라운의 공격에 뒤로 밀리면서 아크타르가 묻혀 있는 곳으로 유인한 것이다.

브로안의 방패에 숨어 폭발을 견디려고 했지만 아크타르의 폭발은 우리를 벽에 처박히게 만들었다.

폭발 반경의 외곽에 있었지만 온몸에 타격을 입었다.

폭발의 중심에 있던 브로안은 우리보다 더 상황이 좋지 않을 것이다.

"재밌어. 역시 인간들은 재미있단 말이야. 언제 이런 준비를 했어? 내가 아닌 다른 마족이었다면 이번 폭발에 큰 상처를 입었을지도 모르겠지만, 안타깝네."

말은 저렇게 해도 아무런 타격을 입지 않은 것은 아니었다.

상처가 난 목에서는 피가 뿜어져 나오고 있었고, 그의 몸에는 여러 개의 상처가 나 있었다. 마기로 막을 만들었지만 완전히 방어하는 데는 실패한 것이다.

"내가 줄 수 있는 건 마지막 안식 정도겠지? 다시 너희와 싸우고 싶지만 몸에서 들끓는 피가 그것을 허락하지를 않네. 미안해."

브라운은 우리와의 장난을 그만하려고 했다.

다른 사람들은 서 있는 것이 기적일 정도로 상태가 좋지 않았다.

고리의 기운 덕분에 피해를 최소화할 수 있었지만 나도 움직이는 것이 전부다.

"마지막으로 할 말이라도 있나? 꼭 기억해 두었다가 다음에 인간이 여기에 찾아오면 너희 얘기를 해주마."

"마… 마지막으로… 한 대만… 한 번만."

"제대로 움직일 수도 없어 보이는데 날 때릴 수나 있을까? 그렇게 원한다면 들어주마."

부들거리며 떨고 있는 주먹에는 힘이 전혀 들어가 있지 않았지만 브라운은 마지막 부탁을 들어주었다.

"때리기 쉽게 몸을 숙여주마. 크하하하."

브라운은 내 앞으로 다가와 고개를 숙였고, 나는 힘없이 주먹을 그의 머리를 향해 움직였다. 주먹은 너무도 느리게 움직였다. 그의 머리에 주먹이 닿기까지 억겁의 시간이 걸린 것 같은 느낌이 들었다.

툭!

"이게 끝이야? 슬라임도 이것보다 강하겠네. 마지막 부탁을 들어줬으니 이제는 편안히 죽어라."

"고마워. 정말… 고마워."

"무슨 말이지? 죽여줘서 고맙다는 말이야?"

여전히 내 주먹은 그의 머리에 올려져 있었고, 브라운은 딱히 내 손을 신경 쓰지 않고 있었다.

더는 주먹을 쥘 힘이 없다. 손은 서서히 펴졌고, 작은 물체 하나가 브라운의 머리 위에 떨어졌다.

브라운의 목걸이.

마족의 수련 장소로 정신을 이동시키는 목걸이가 내 손에 들려 있었다.

검을 들지 않고, 그의 목을 노린 이유가 이거였다.

아무리 최선을 다한다고 해도 브라운을 이길 수는 없다고 판단한 우리는 목적을 바꾸었다.

탈출.

다음을 기약하기 위해서는 악마의 탑을 탈출해야 했지만 데빌 도어를 지키고 있는 브라운을 피해 탈출을 할 수는 없다.

하지만 브라운이 우리를 막지 않는다면?

짧은 시간에 마족의 수련을 통과할 능력을 가진 브라운이지만 그 시간이면 충분히 탈출할 시간을 벌 수 있다.

브라운은 여전히 내가 왜 고맙다고 했는지 모르고 있었다.

하지만 점점 의식이 사라져가자 목을 더듬는 그였다.

"내 목걸이를… 감히 그런 짓을 하다니. 죽여 버리겠다!"

브라운은 손을 들어 올리려고 했지만 목걸이의 능력에 의해 의식을 잃었다.

완전히 무방비 상태에 빠진 브라운이다. 부상당하지 않은 상태였다면 그를 죽일 수 있었겠지만 그를 찌를 힘이 없었다.

도박수를 던지는 것보다는 탈출이 우선이다.

"빨리 움직여야 합니다. 브라운이 깨어나기 전에 데빌 도어로 가야 합니다."

기다시피 하는 아드몬드와 다리를 절뚝이는 카인트 공작을 부축하며 데빌 도어로 이동했다.

브로안은 방패 덕분에 걸을 수 있었다.

정상이었다면 1분도 되지 않을 거리였지만 지금은 너무 멀었다.

마라톤을 완주한 기분이었지만 반도 도착하지 못했다.

당장에라도 바닥에 쓰러져 눕고 싶다.

더는 한 걸음도 나아가지 못할 정도로 몸이 움직이지 않았다.

"뽀오!"

포기하기로 마음먹은 순간 품 안에 있던 네르가 튀어나왔다.
작은 손과 발로 내 다리를 미는 네르였다.
네르의 몸에도 크고 작은 상처가 가득했다.
폭발의 여파에 품속에 숨어 있던 네르도 부상을 입었다.
붉은 피로 염색된 네르였다. 하지만 네르는 포기하지 않고 내 다리를 밀었다.
"고마워. 다음부터는 전투가 있으면 품에서 놓아줄게."
"뽀! 뽀!"
거절 의사를 강하게 표시한 네르는 다시 내 다리를 밀었고, 우리는 겨우 데빌 도어의 의자에 앉을 수 있었다.
자리에 앉는 순간 데빌 도어의 중앙에서 빛이 흘러나왔다.
"용서하지 않겠다! 갈기갈기 찢어버리겠다!"
악마의 탑에서 마지막으로 본 장면은 브라운의 분노에 찬 모습이었다.
데빌 도어의 빛이 우리를 왕국으로 돌려보내 주었다.
"공작님과 일행들이 돌아왔습니다! 치료사를 부르세요! 당장!"
이제는 정신을 놓아도 되겠지.
자고 싶다.
네르를 품에 끌어안고 그대로 바닥에 몸을 늘어뜨렸다.

*　　　*　　　*

다시 정신을 차렸을 때는 일주일이라는 시간이 흐른 뒤였다.

부러진 뼈들은 여전히 삐걱거렸고, 침대에서 한 발도 나가지 못할 정도로 몸 상태가 좋지 않았다.

"흐흐. 형님, 그래도 살아 있으니 좋지 않아요? 악마의 탑 6층이 제 무덤이 될 줄 알았는데 이렇게 밖으로 나오니 너무 좋아요."

브로안은 괴물 같은 회복력을 보였고, 굳이 내가 있는 병실에서 고기를 뜯으며 시간을 보냈다.

"좀 꺼지라고. 혼자 먹으니 맛있냐. 나는 스프도 제대로 먹지 못하는데 혼자 맛있는 거 먹으니까 좋냐고."

"좋고말고요. 이 맛있는 걸 두고 죽을 뻔했다니. 아우! 끔찍합니다."

향긋한 고기 냄새에 군침이 절로 흘렀고, 브로안의 모습이 얄밉기도 했지만 행복한 마음이 먼저 들었다.

살아 있다는 것만으로 이런 행복을 느낄 줄이야.

지금은 악마의 탑이니, 마왕이니 하는 생각은 전혀 하고 싶지 않았다.

단지 지금을 즐기고 싶었다.

하지만 이런 행복은 오래가지 못했다.

침대에 한번 누워 있기 시작하니 다시 일어나기가 힘들었다.

스승님이 매일같이 찾아와 어서 수련을 하자고 소리쳤지만 심적인 고통이 남아 있다는 핑계로 침대에 누워 있었다.

하지만 그런 행복은 오래가지 않았다.

나보다 더 심한 부상을 입은 카인트 공작과 아드몬드가 자리에서 일어나 수련을 재개하자 당연히 더는 핑계가 통하지 않았다.

"고리의 색이 변했다고? 한번 확인해 보자꾸나."

고리의 색은 선명한 노란색이었고, 이제는 고리의 기운만 비교했을 때는 스승님보다 강했다. 옅은 노란색을 하고 있는 스승님과는 달리 내 고리의 색은 짙었고, 농축된 에너지의 양도 훨씬 많았다.

하지만 다른 부분은 여전히 스승님이 앞섰다.

나는 문양을 활용하는 법이나, 고리의 에너지를 사용하는 법 위주로 수련을 재개했고, 이제는 스승님의 지옥 같은 수련이 아니라 내가 원하는 수련을 할 수 있었다.

그렇게 편안히 수련을 하고 있을 때 아다드 왕이 나를 불렀다.

왕의 집무실에는 이미 카인트 공작이 자리하고 있었다.

"고생했다고 말도 제대로 하지 못했었던 것 같아 이렇게 불렀다네. 수련을 시작할 정도로 몸이 회복되어서 다행이네."

나야 고리의 에너지와 몸에 새긴 문양의 영향으로 빠르게 몸을 회복할 수 있었다.

그런데 카인트 공작과 아드몬드는 어떻게 이렇게 빨리 자리에서 일어날 수 있는 거지?

이전에는 들지 않던 생각이 카인트 공작을 보자 떠올랐다.

"전부 전하께서 내려주신 신묘한 약 덕분입니다. 약을 복용하고 나니 몸의 재생력과 회복력이 크게 늘어 이렇게 돌아다닐 수 있습니다."

평소 아다드 왕에게 존칭을 하는 것을 좋아하지 않는 카인트 공작이었지만 오늘만큼은 아다드 왕에게 자연스럽게 존칭을 하고 있었다.

역시 사람에게 존경을 받으려면 빚을 지게 해야 된단 말이지.

"내가 해줄 수 있는 것이 그 정도뿐이라서 미안하네. 그런데 그 약을 어디서 구했는지 알고 있는가?"

뼈가 완전히 부러지고 장기까지 뒤틀어진 상처를 단 시간에 회복시켜 주는 약에 대해 들은 바는 없었다.

진짜 어디서 그런 약을 구한 걸까?

엘프의 묘약이라고 해도 이런 효력은 없었다.

"천사의 눈물이라고 불리는 이 약은 가르신 왕국에 의해 개발되었다네. 그들은 악마의 탑에서 나오는 재료들을 이용해 천사의 눈물을 제조했다고 공식적으로 발표했다네."

머리에서 작은 번개가 쳤다.

악마의 탑을 우리보다 더 높게 공략한 국가는 없다.

다른 국가들은 한 층이라도 더 높은 층을 공략하기 위해 무기를 수집했고, 기사들을 수련시켰다.

하지만 가르신 왕국은 우리보다 조금 더 큰 영토를 가지고 있었고, 자본력이 강하지 않은 국가였다. 그런 가르신 왕국이었기에 등급이 높은 무기를 구하기에는 역부족이었을 것이다.

가르신 왕국은 높게 나는 것을 포기하고 자세히 탐색하는 것을 선택했구나.

전혀 생각지도 못한 방법이었다.

몬스터를 처리해 아이템을 얻을 생각만 했지, 몬스터의 사체를 이용해 약을 만들 생각은 전혀 하지 못했다.

몬스터의 딱딱한 비늘로 갑옷을 만드는 것이 내 생각의 한계였다.

"가르신 왕국에 방문하고 싶습니다."

가르신 왕국이 궁금했다. 누가 그런 생각을 했는지도 알고 싶었고, 그들과 협력하면 새로운 무기 혹은 약을 만들 수 있다.

가르신 왕국이 어디에 위치하고 있는지도 모르고 있었지만 가고 싶었다.

"안 그래도 자네를 부른 이유가 가르신 왕국에 사신의 자격으로 갈 의중이 있는지 물어보기 위해서였다네. 그들이 만드는 천사의 눈물의 제조법을 알 수 있다면 우리 왕국의 전력이 크게 상승할 수 있을 것이네."

죽지만 않는다면 웬만한 상처를 회복시킬 수 있는 약을 원하는 국가는 당연히 많을 것이다.

지금은 회유하고 있겠지만 조만간 타나스 왕국처럼 무력을 사용할지도 모른다.

그 전에 우리가 가르신 왕국과 동맹을 맺는다면 그들은 위협으로부터 안전해질 수 있다.

다른 제국과의 동맹은 그들에게 큰 도움은 되지 않는다.

안전을 약속받을 수는 있지만 발전에는 한계가 있다.

하지만 우리 왕국은 다르다. 무엇이 다르냐고 물어본다면 내가 브루니스 왕국에 있다고 당당히 말할 수 있다.

"천사의 눈물의 제조법을 얻기 위해 우리가 제공할 수 있는 조건은 무엇입니까?"

일단은 아다드 왕의 의견을 알아야 했다.

나 혼자 할 수 있는 일과 왕국의 도움을 받을 수 있는 일은 차이가 있다.

"자네에게 전적으로 맡기겠네. 자네라면 알아서 최고의 거래를 할 수 있지 않겠는가."

이제는 완전히 나를 믿고 있는 아다드 왕이었다.

하긴 타나스 왕국을 상대로 엄청난 성과를 이루었으니 아다드 왕이 이런 믿음을 내게 주는 것은 당연했다.

하지만 이번 거래는 아다드 왕에게 실망을 안겨줄지도 모른다는 생각이 들었다.

* * *

가르신 왕국이 브루니스 왕국보다 넓은 영토를 가지고 있다고는 들었지만 섬나라인 줄은 몰랐다. 처음으로 배를 타고 하는 여행은 고역이었다.

브루니스 왕국은 바다와 접해 있었고 얼마 되지 않는 해군의 배를 이용해 가르신 왕국으로 이동했다. 파도에 따라 좌우로 심하게 움직이는 배는 나에게 극심한 멀미를 선물해 주었고, 2주간의 여행은 끔찍한 악몽이나 다름이 없었다.

이제는 어느 정도 멀미에 익숙해지자 가르신 왕국의 모습이 보였다.

많은 왕국을 여행한 것은 아니었지만 가르신 왕국이 색다른 모습을 하고 있다는 것 정도는 느낄 수 있었다.

많은 수의 사람들이 어업에 종사하고 있었고, 그들의 표정은 나쁘지 않았다.

고립된 생활을 하고 있었기에 악마의 등장에 대해서도 모르는 눈치였다.

데빌 도어가 생겨나긴 했지만 크게 신경을 쓰지도 않고 사는 사람들은 다른 왕국의 사람들보다 밝아 보였다.

가르신 왕국은 우리를 항구에서부터 극진히 대접해 주었고, 타나스 왕국을 방문할 때와는 전혀 다르게 즐거운 마음으로 가르신 왕궁으로 입성했다.

가르신 왕궁은 어떻게 보면 선진화된 경영 시스템을 가지고 있었다.

왕이 있긴 했지만 혈족 중심이 아니라 능력에 의해 선출되는 방식이었고, 모든 의안은 27명의 대신과 왕의 협의에 의해 결정되었다.

권력이 높고 낮음을 떠나 모든 대신들은 왕을 뽑음에 같은 한 표를 행사했다. 민주주의의 기틀이 보이는 가르신 왕국이었다.

27명의 대신과 왕이 모두 중요한 의견 결정자들이었기에 나는 그들 모두를 만나야 하여, 우리는 조금은 특별한 장소로 안내받았다.

원형의 회의장은 계단식으로 만들어져 있었고, 중심에는 작은 탁상 하나가 있어 발표권자가 모든 대신에게 의견을 피력할 수 있었다.

"브루니스 왕국의 사신인 진 자작입니다. 모두 박수로 환영해 주세요."

짝짝짝!

대신들은 물론이고 왕까지 형식에 얽매이지 않았고, 권위나 직위를 앞세워 사람을 무시하지 않는 모습이었다.

"초대받지 않은 손님을 이렇게 환영해 주시니 감사합니다."

박수를 받으며 원형 회의장의 중심에 있는 탁상에 올랐다.

대신들과 가르신 왕은 초롱초롱한 눈빛을 하며 나를 바라보고 있었다.

보통은 간단한 인사를 하고 휴식을 취한 후 식사에 초대받고 그다음에 의견을 나누는 것이 일반적인 관례였다.

하지만 가르신 왕국의 대신들은 그런 절차를 따를 생각이 없어 보였고, 무슨 말이든 해야 되는 분위기가 조성되어 있었다.

그래, 이왕 이렇게 된 거 시간 끌 필요는 없지.

"브루니스 왕국과 가르신 왕국은 비슷한 점이 하나둘이 아닙니다. 가르신 왕국은 섬으로 되어 있고, 우리 브루니스 왕국은 바다에 접해 있습니다. 그리고 다른 국가들로부터 소국이라고 무시를 받았던 것도 비슷하겠지요. 브루니스 왕국이 훨씬 더 많이 무시를 받았지만 말입니다. 그런데 지금은 다른 국가들이 서로 우리들과 동맹을 맺으려고 합니다. 우리의 영토가 더 넓어져

서 그럴까요? 바다 위에서 땅이 솟구쳐 오르지 않는다면 영토가 늘어나는 것은 불가능한 일이겠죠."

휘이익!

동조의 의미로 휘파람을 부는 대신들이었다.

아무리 자유분방한 분위기의 국가라지만 이거 참 적응 안 되네.

"영토를 키울 욕심만 가득한 배부른 돼지들과는 다르게 우리들은 내실을 다졌습니다. 브루니스 왕국이 악마의 탑 고층을 빠르게 공략해 등급이 높은 아이템을 구한 것처럼, 가르신 왕국은 악마의 탑을 탐색 연구해 새로운 약을 만들어내었습니다. 다른 국가들은 전혀 생각지도 못한 방식이죠."

고개를 끄덕이는 대신들이었고, 내 연설에 꽤나 동의하고 있었다.

하지만 이제는 그들의 아픈 상처를 후벼 파야 했다.

좋은 말만 해서는 한 번에 그들의 마음을 사로잡을 수 없다.

"하지만 가르신 왕국과 브루니스 왕국의 다른 점도 있습니다. 바로 무력입니다. 우리 왕국의 장점은 등급이 높은 아이템을 보유하고 있을 뿐만 아니라 전쟁에 적합한 원거리 무기를 다량 보유하고 있다는 것입니다. 타나스 왕국과의 전쟁에서 승리할 수 있었던 이유는 무기의 다양성 때문입니다. 하지만 가르신 왕국은 그렇지 못합니다. 이전에는 가르신 왕국을 침략할 이유를 찾지 못했기에 전쟁을 일어나지 않았겠지만 지금부터는 다릅니다. 가르신 왕국에 황금알이 있다는 것을 알게 된 다른 국가들이 침을 흘리고 있습니다. 벌써 여러 국가에서 손을 뻗어 왔을 거라고 예상하고 있습니다."

가르신 왕은 그래도 가장 높은 직위를 가지고 있었기에 원형 회의장에서 유일하게 의자가 있는 자리에 앉아 있었고, 내 연설을 주의 깊게 듣고 있었다.

그런 가르신 왕이 손을 들어 발언권을 요구했다.

왕조차도 손을 들고 발언권을 얻어야 발언할 수 있는 구조가 어색하긴 했지만 좋은 회의 방식인 것은 분명했다.

"자작께서 말하신 것처럼 최근 들어 여러 국가들의 서신을 받았습니다. 지금까지는 우리와 전혀 교류가 없던 국가들까지 자신들에게 천사의 눈물의 제조법을 알려달라고 했고, 그 대가로 안전을 보장해 준다고 했습니다. 아직 결정을 내리지 못했지만 우리는 독자적인 길을 걷고 싶습니다."

"하지만 이제는 그러지 못하실 겁니다. 다른 국가들이 침을 흘리고 있으니 안전을 보장해 줄 국가와 동맹을 맺는 것은 선택이 아니라 필수가 되어버렸습니다. 하지만 대형 국가들이 어떤 방식으로 성장해 왔는지 알고 계십니까?"

"우리는 전 국민이 의무적으로 교육을 받고 있습니다. 거기에 중요 과목은 세계 역사입니다. 여기에 있는 대신 중에서는 아이들을 가르치는 자리에 있는 분도 여럿 있습니다. 누가 말해보시겠습니까?"

M 자 탈모로 이마가 반짝거리는 인상 좋은 대신 한 명이 손을 들었고, 그는 자리에 앉은 채로 내 질문에 답해 주었다.

"제국이라는 이름을 한 번이라도 획득한 국가들은 전부 피를 밟고 일어선 국가들이죠. 말도 되지 않는 명분을 만들어 끊임없이 영토 전쟁을 벌이고, 소국들에게는 안전을 미끼 삼아 조공을 받아 전부 영토 전쟁의 군량미로 사용했다고 알고 있습니다. 제 생각이 여기에 계신 모든 대신의 의견이라고는 할 수 없지만, 지금까지 우리에게 동맹 제의를 한 모든 국가가 지키지도 못할 안전을 약속하며 우리 왕국의 결실을 훔쳐 가려는 도둑놈들처럼 보입니다."

"그렇습니다. 브루니스 왕국도 다르지 않았습니다. 경매장으로 이득을 얻자 타나스 왕국은 우리를 핍박하고, 강탈하려고 했습니다. 하지만 우리는 그들보다 강했습니다. 브루니스 왕국은 단 한 번도 남의 것을 탐해본 적이 없습니다. 필요한 물건이 있으면 그에 합당한 대가를 치러야 한다는 사실을 분명히 알고 있는 몇 되지 않는 국가 중 하나입니다. 공정한 대가를 약속하는 국가 중에서 가르신 왕국의 안전을 약속할 수 있는 유일한 국가이기도 합니다. 만약 우리와 동맹을 맺는다면 우리는 공식적으로 모든 국가에 동맹 사실을 알릴 것이고, 가르신 왕국이 자력으로 안전을 보장받을 수 있을 때까지 합당한 가격으로 무기를 수출할 생각입니다. 그리고 만약 전쟁이 벌어진다면 모든 병력을 동원해 도울 것을 약속드립니다."

가르신 왕이 내 말을 듣고는 질문을 던졌다.

"천사의 눈물이 명약임에는 분명하지만 그 약이 브루니스 왕국에 그렇게 필요한 물건입니까? 동맹을 맺지 않더라도 충분히 천사의 눈물을 구입할 수 있는 자본력이 있지 않나요? 경매장에서 엄청난 수익을 얻고 있다고 알고 있습니다. 굳이 우리와 동맹을 맺을 이유가 있나요? 물론 동맹 제의를 거절하는 뜻은 아닙니다. 그냥 호기심에 하는 질문이니 오해는 하지 말아주세요."

"틀린 말은 아닙니다. 분명 천사의 눈물을 대량으로 구입할 수 있는 자본력이 우리에게는 있습니다. 하지만 그 약을 어디서 구입하는지도 중요하다고 생각하고 있습니다. 천사의 눈물을 만들기 위해 많은 사람들이 밤낮을 가리지 않고 연구했다고 알고 있습니다. 지금 나온 결과물은 천사의 눈물뿐이지만 더 많은 결과물을 만들어낼 수 있다고 생각합니다. 우리는 그런 연구력을 높게 평가하고 있습니다. 악마의 탑 고층을 공략할 수 있는 브루니스 왕국과 악마의 탑에서 나오는 부산물로 새로운 결과물을 만들어내는 가르신 왕국이 힘을 합친다면 어떤 결과물이 나올지 상상이나 가십니까? 분명 지금보다 몇 단계 뛰어난 물건을 만들 수 있다고 생각합니다."

짝짝짝!

가르신 왕부터 시작된 박수는 모든 대신들에게 옮겨갔고, 회의장은 박수 소리로 가득했다.

뛰어난 연설은 아니었지만 가르신 왕국의 대신들에게 우리가 왜 동맹을 맺어야 하는지에 대해서 이해를 시킬 수 있었고, 앞으로의 방향성도 제시했기에 대신들은 모두 만족스러운 표정을 짓고 있었다.

Chapter 8

정저와(우물 안 개구리) II

익숙해졌다고 생각한 뱃멀미는 며칠 사이에 다시 도졌고, 탈진하기 직전에 왕국에 도착할 수 있었다.

빠른 시일 내에 가르신 왕국을 다시 방문하겠다는 마음은 땅을 밟는 순간 사라졌고, 배를 제외한 다른 교통수단이 나오기 전까지는 가르신 왕국을 방문하고 싶지 않다는 마음만 들었다.

왕궁에 도착하니 미리 기다리고 있었던지 아다드 왕이 집무실로 불렀다.

집무실에는 카인트 공작도 함께 있었고, 나는 곧장 이번 동맹 건에 대해 설명했다.

"진 자작, 이번 동맹 건은 우리 왕국에게 너무 불리하게 체결되지 않았나? 아무리 천사의 눈물이 귀한 약이라고는 해도 우리가 이렇게까지 해야 될 이유가 있는가?"

생각한 대로의 반응이었다.

나를 신임하는 아다드 왕까지 이런 생각인데 남부 귀족들이 어떻게 반응할지 벌써부터 머리가 아파왔다.

그래도 내가 저지른 일이니 내가 책임을 져야지.

"저는 가르신 왕국의 발전 가능성을 보고 왔습니다. 지금은 불합리한 조건으로 보이지만 향후 우리에게 큰 이득으로 돌아올 것입니다. 만약 제 선택이 잘못되었다면 제가 그 손해를 책임지겠습니다."

"자네에게 책임을 지라고 하는 말이 아니지 않나. 지금의 조건보다 더 좋은 조건으로 동맹을 체결할 수 있을 건데 굳이 이렇게까지 하는 이유를 모르겠네. 가르신 왕국이 발전할 것이라는 자네 말을 믿어도 그게 언제가 될지 어떻게 아는가."

아다드 왕은 머리가 지끈거리는지 관자놀이를 누르며 말했다.

지금 무슨 말을 해도 아다드 왕의 두통을 해소시켜 줄 수 없을 것이다.

이런 상황에서 나에게 도움을 줄 수 있는 사람은 카인트 공작뿐이었다.

"전하, 진 자작을 믿어보시지요. 그가 이런 선택을 내렸다면 분명 이유가 있을 것이고, 결국엔 우리 왕국에 도움이 되는 일이 될 것입니다. 지금까지 진 자작의 선택이 틀린 적은 한 번도 없습니다. 이번엔 우리가 진 자작을 믿어줄 차례입니다. 남부의 귀족들이 이번 동맹 건으로 진 자작을 음해하기 위해 혈안이 될 것인데 우리까지 그를 나무라서는 안 되지 않겠습니까."

"알겠네. 이만 나가들 보게나."

두통이 심해졌는지 더는 대화를 이어가고 싶어 하지 않는 아다드 왕이었고, 카인트 공작의 뒤를 따라 집무실을 빠져나왔다.

"자네의 결정을 믿지만 이번 동맹 건으로 남부 귀족들이 자네를 깎아내리려고 할 게다. 내가 어느 정도 벽이 되어줄 수는 있지만 지금까지처럼 큰 영향력을 펼칠 수는 없을게다."

이미 각오한 일이다.

그리고 권력에 대한 욕심은 없다.

만약 이번 동맹 건을 성공리에 성사시켰다면 내 직위가 한 단계 더 높아졌을지도 모르지만 직위가 높아졌다고 해서 악마의 탑을 더 빨리 공략할 수 있는 것도 아니었기에 차라리 이처럼 새로운 희망의 씨앗 하나를 심는 게 나았다.

*　　　*　　　*

오랜만에 현자와 (구)마법사들을 회의장에 모았다.

저택에도 따로 회의실이 있었지만 마법사를 혐오하는 스승님 덕분에 원거리 무기 공장의 회의실에 그들을 모아야 했다.

"제가 이번에 가르신 왕국에 다녀왔습니다. 가르신 왕국은 이전의 우리 왕국처럼 폐쇄된 지형의 이점으로 살아남은 국가입니다. 상거래가 활발하지도 않고, 딱히 특산물이 있지도 않아 발전이 더딘 나라였죠. 하지만 지금 그들은 천사의 눈물이라는 묘약을 만들었습니다. 그들은 연금술에 지식이 있는 사람들을 모아 악마의 탑에서 나오는 부산물을 이용해 여러 가지 실험을 하고 있었습니다. 실험에 참가한 사람 중에 마법사였던 사람은 극소수에 불과했습니다."

내 말뜻을 알아들은 마법사들의 수장이었던 클린튼 백작이 입을 열었다.

"우리 마법사들만큼 연금술을 깊게 연구한 사람은 없습니다. 국가에서 지원받는 돈을 연금술에 모두 투자한 적이 없는 마법사는 여기에 없다고 볼 수 있죠. 체계화되지는 않았지만 연금술에 대한 기초는 모두 가지고 있습니다."

"지식이 있으면 사용을 해야겠죠. 이제는 원거리 무기 공장이 어느 정도 체계가 잡혔으니 이렇게 많은 고급 인재들이 필요하지 않습니다. 연금술에 지식이 있거나 관심이 있는 분들을 모아 실험실을 만들까 생각하고 있습니다. 실험실 운영비는 제가 전적으로 책임지겠습니다."

경매장을 통해 들어오는 수익은 천문학적인 금액이었다.

세금 명목으로 적지 않은 돈이 왕궁으로 들어갔지만 아직 실험실을 운용하고도 남을 돈이 있었다.

"좋은 생각이구나. 오러와 마나가 사라진 지금 앞으로는 연금술이 지배하는 세상이 올지도 모른다고 생각을 했었단다. 나도 한 팔 보태주겠네."

현자까지 실험실의 멤버로 참가하기로 했고, 자신의 지식을 사용하고 싶어 안달이 난 마법사들은 모두가 실험실의 멤버가 되고 싶어 했다.

사람은 많을수록 좋다.

"마법사의 탑을 떠난 마법사 중에서 연금술을 연구한 적이 있는 마법사들을 알고 계시다면 모두 불러 모아주세요. 섭섭지 않은 월급을 약속드리겠습니다."

마나가 사라진 직후 마법사의 탑은 폐쇄되다시피 했다.

마법사의 탑을 떠난 마법사들은 고향으로 돌아가거나 상단의 장부를 작성하는 일을 하며 먹고살았다.

존경을 받으며 살아왔던 마법사들이 하루아침에 일개 직원으로 추락해 버린 것이다.

그랬기에 조금만 대우해 준다고 약속해도 능력 있는 마법사들을 모을 수 있을 거라고 생각했다.

* * *

클린튼 백작은 요즘 하루가 어떻게 가는지 모를 정도로 바쁘게 보냈다.

이제는 은퇴를 해도 이르지 않은 나이였지만 그러고 싶지 않았다.

지식을 탐구하고 연구하는 것을 낙으로 평생을 살아왔기에 그것들을 포기하고 흔들의자에 앉아 죽기만을 기다리는 삶을 살기는 싫었다.

그리고 그에게는 자신과 비슷한 생각을 하고 있는 친구들이 여럿 있었다.

그는 여러 장의 서신을 친구들에게 보냈다.

서신의 내용을 요약하면 이렇다.

〈연금술을 연구하는 실험실이 만들어진다. 다시 한 번 연구에 미쳐 살아보지 않겠나? 연금술에 드는 자금 전부를 진 자작이 지원하기로 했고, 많은 수의 인재를 원한다. 자네는 물론이고, 자네의 제자 혹은 연금술에 재능이 있는 사람 모두를 데리고 오게나.〉

클린튼 백작이 보낸 서신은 순식간에 마법사들에게 퍼져 나갔고, 자리를 잡지 못했거나 지금의 삶을 바꾸고 싶어 하는 마법사들의 가슴에 불꽃이 피게 만들었다.

클린튼 백작의 서신을 받고 가장 먼저 달려온 사람은 그의 평생의 라이벌이자 친구인 안톤 차석 마법사였다.

"수석 마법사가 되기 위해 마법에 미쳐 살았지만 내 재능을 이기지 못한 친구가 왔구나."

"나이가 먹어도 여전히 정신을 못 차리는구나. 네가 불쌍해 내 재능을 숨기고 살았지. 내가 제대로 마음먹었으면 네가 수석 마법사가 될 수 있었을까?"

오랜만에 하는 친구와의 농담은 사람을 기분 좋게 한다.

웃을 일이 없던 요즘 처음으로 크게 웃은 클린튼 백작이었다.

"그래, 내가 보낸 서신을 보고 왔으니 연금술을 연구할 생각이 있어 찾아온 게지?"

안톤은 정치나 경영에는 재능이 없는 골수 마법사였다.

그보다 능력이 떨어진 마법사들도 자신의 권력과 능력을 이용해 많은 돈을 벌었고, 마나가 사라진 이후 벌어놓은 돈으로 편안히 생활을 하고 있었다.

하지만 안톤은 그러지 않았다.

월급으로 들어온 돈을 모조리 연구에 쏟아부었고, 돈에 대한 욕심도 없었기에 겨우 입에 풀칠을 할 정도로만 살아가고 있었다.

그에 대한 소식을 전해 듣고 몇 번이나 돈을 지원해 주려고 했지만 자존심 하나는 여전한 그였기에 아무런 도움을 주지 못했다.

"연금술을 연구한다는 발상은 매우 좋아. 진 자작이라고 했던가? 얼굴을 보지는 못했지만 매우 뛰어난 사람이군. 나는 연금술이 마나를 대신할 유일한 학문이라고 보고 있다네."

"나도 그렇게 생각하고 있다네. 이번에 가르신 왕국에서 연금술을 이용해 천사의 눈물이라는 묘약을 만든 것만 봐도 연금술의 가치는 매우 뛰어나지. 그건 그렇고, 혼자 온 건가? 내가 서신에 알고 있는 사람을 데리고 오라고 했건만, 인맥이 그렇게 없누?"

"내가 먼저 왔을 뿐이네. 나야 혼자 사는 사람이니 정리할 것이 없어 바로 달려왔지만 다른 이들은 준비는 하고 와야 되지 않겠는가. 내 밑에서 수학했던 아이들에게 모두 연락했고, 답신을 받은 사람만 해도 20명이 넘는다네. 그런데 그렇게 많은 수의 사람을 수용할 수 있겠나? 아무리 돈이 많다고 해도 연금술은 상상 이상의 돈을 잡아먹는 학문이네. 연금술에 한번 빠진 마법사는 관도 없이 무덤에 눕는다는 말이 농담이 아니라는 걸 자네도 잘 알고 있지 않은가."

"걱정은 하지 말게. 진 자작은 경매장의 실질적인 주인이나 다름없다네. 경매장이 망하지 않는 이상 지원은 계속될 걸세."

"그렇다면 다행이지만……."

안톤을 시작으로 하나둘 전직 마법사들이 모여들기 시작했다.

클린튼은 궁정 마법사까지 했기에 큰 저택을 가지고 있었지만 찾아오는 마법사들을 모두 수용하기에는 부족할 지경까지 찾아왔다.

마법사들에게 서신을 보낸 것은 클린튼 백작뿐만이 아니었다.

원거리 무기 개발소에서 일하는 모든 마법사가 자신과 친분이 있는 마법사들에게 서신을 보냈고, 수도는 매일같이 찾아오는 마법사들로 가득 찼다.

* * *

"그러니까, 총 460명의 마법사가 왔다는 말입니까?"

생각지도 못했던 일이었다. 물론 많은 마법사들이 있으면 좋겠다고 말하기는 했지만 400명이 넘는 마법사들이 올 줄은 상상도 하지 못했다.

그래, 좋게 생각하자.

인재들이 많으면 연구 속도도 빨라지겠지.

생각했던 것보다 훨씬 많은 마법사들이 찾아와, 계획을 전면 수정해야 했다.

내가 생각했던 연구소는 100명 내외가 연구할 수 있는 실험실이었고, 지금 건물을 만들기 위해 착공을 하고 있었다.

하지만 그 건물로는 지금 있는 마법사들을 전부 수용할 수 없었다.

"클린튼 백작님, 연구실을 새로 만드는 것은 너무 오랜 시간이 걸릴 것 같은데, 좋은 생각이 없으십니까?"

"현재 이 정도 인원을 수용할 수 있는 건물은 수도에 세 군데가 있네. 하나는 왕궁이고, 다른 하나는 기사들이 거주하는 장소일세. 하지만 그 두 군데는 우리가 어찌할 수 있는 곳이 아니지. 하지만 다른 장소는 그나마 가능성이 있네."

"어디를 말씀하시는 겁니까? 수도에 그런 건물이 있었습니까?"

"마법사의 탑이 있지 않은가. 아직까지 소수의 마법사들이 남아 있긴 하지만 더는 유지비도 나오지 않는 상황이라 마법사의 탑은 죽은 것이나 다름이 없다네. 마법사의 탑을 인수해 연구실로 사용한다면 지금보다 더 많은 마법사가 연금술을 연구할 수 있다네."

헉! 마법사의 탑을 인수하라니.

마법사의 탑은 왕궁을 제외하면 가장 큰 건물이었다.

땅값이 가장 비싼 수도에서도 노른자위에 위치하고 있는 마법사의 탑을 인수할 수 있을까?

가만히 생각해 보니 못 할 이유는 없었다.

"알겠습니다. 일단 사람을 보내 인수 의사를 묻겠습니다. 그리고 안정화될 때까지는 새로운 연구진들을 모으는 것을 중단해 주세요. 그들을 땅바닥에서 재울 수는 없지 않습니까."

"알겠네."

더 많은 마법사들이 찾아오지 못하게 해달라고 부탁을 했지만 소용이 없었다.

소문은 말보다 빠르게 퍼져 나갔다. 외지에서 조용히 죽을 날을 기다리며 살던 마법사들이 마지막 불꽃을 피우기 위해 수도를 찾아왔고, 그들은 제자들도 모조리 끌고 왔다.

400명이 넘던 인원이 순식간에 600명이 되어버렸다.

이제는 무슨 수를 써서라도 마법사의 탑을 인수해야만 했다.

마법사의 탑이 전성기 시절에 수용할 수 있던 인원은 천 명 정도.

만약 마법사의 탑을 인수할 수만 있다면 새로 들어오는 인재들을 모두 받아들일 수 있다.

통장의 잔고는 마르겠지만 연구비를 지원해 줄 수도 있다.

그리고 부족하면 왕궁에서 대출이라도 받으면 되니까.

경매장의 수익은 나날이 높아지고 있었고, 돈을 사용하지 않고 쌓아두는 취미는 없으니 돈을 쓰는 것에 대해서는 큰 부담감이 없었다.

마법사들이 왜 존경을 받았을까?

신의 능력으로 보이는 마법을 사용했기 때문일 것이다.

타고난 재능도 있었지만 누구보다 뛰어난 집중력이 있기에 가능한 일이었다.

마법사들이 권력을 이용해 추악한 짓을 하기도 했지만 그들의 업적과 그를 위한 노력만큼은 폄하할 수 없다.

3서클의 마법사가 되기 위해 일반적으로 6년 이상을 오로지 마법에만 열중해야 했다.

오랜 시간 마법이란 학문에만 열중한 그들의 집중력은 다른 직종의 그 누구보다 뛰어나다고 할 수 있었다.

그리고 그들의 재능인 집중력이 지금 다시 빛을 발하고 있었다.

내가 마법사들에게 지원해 줄 수 있는 것은 악마의 탑에서 나오는 몬스터의 사체와 부산물들뿐이다.

물론 월급과 연구 장비도 지원해 주긴 했지만 지식적으로 그들을 도울 수는 없었다.

마법사의 탑을 인수하고 마법사들이 제대로 된 연금술을 연구기 시작한 지 세 달이 지나지 않아 새로운 결과물들이 쏟아지기 시작했다.

내 요청으로 마법사들은 특히 천사의 눈물과 비슷한 치료제를 가장 먼저 만들어내었다.

가르신 왕국에서 듣고 본 정보들을 마법사들에게 전해주어서 슬라임뿐만 아니라 재생력이 뛰어난 몬스터들을 이용해 재생력과 회복력이 뛰어난 치료제를 만들어낼 수 있었다.

"이번에 만든 약은 거대 슬라임의 사체와 파마크의 촉수를 이용해 만들었네. 파마크는 슬라임만큼이나 뛰어난 재생력을 가지고 있기에 그 둘을 섞으면 큰 상승효과를 볼 수 있을 거라고 생각했다네."

클린튼 백작의 새로운 직급은 연구소장이다.

그는 백작의 직위보다는 한 집단의 장인 연구소장으로 불리는 것을 좋아했다.

마법사의 탑을 내가 인수하면서 명칭을 바꾸었다.

많은 마법사들이 마법사의 탑이 사라지는 것을 아쉬워하긴 했지만 시대의 흐름에 따른 어쩔 수 없는 상황이라는 것을 인지했고, 마법사의 탑은 브루니스 연구소라는 이름으로 개명되었다.

"천사의 눈물보다 뛰어난 효능을 가지고 있습니까?"

우리는 후발 주자나 다름없다.

가르신 왕국의 국력의 대부분을 연금술에 투자한 결과가 천사의 눈물이었다.

단시간에 천사의 눈물만큼의 효능을 보이는 치료제를 기대하지는 않았다.

"일단 보는 것이 좋겠네."

꾸에엑!

이번 실험을 위해 불쌍한 돼지 한 마리가 끌려 나왔고, 돼지의 배에는 검 자국이 생겼다.

내장이 보일 정도로 깊은 상처에서 흘러나오는 피가 돼지의 가죽을 붉게 만들었고, 지금 치료를 한다고 해도 돼지를 회복시킬 수 있을 것 같지는 않았다.

천사의 눈물을 제외하면 말이다.

브로안이 이 장면을 보면 좋아하겠네.

돼지고기라면 사족을 못 쓰니까.

"돼지의 사체에 우리가 만든 약을 발라보겠네."

발버둥치는 돼지의 발은 하늘로 향하게 묶였고, 돼지는 고통에 더해 수치심까지 느껴야 했을 것이다.

손바닥만 한 병에 담겨 있는 액체가 상처 부위에 골고루 발라졌고, 눈에 보일 정도의 속도로 돼지의 상처가 아물어갔다.

내장까지 보였던 상처는 약간의 흉터를 남겼지만 그래도 완벽히 봉합되어 있었다.

돼지도 더는 고통이 느껴지지 않는지 멱따는 소리를 심하게 내지는 않았다.

"대단한데요. 재생력만 보면 오히려 천사의 눈물보다 더 뛰어나 보입니다."

연구소장과 그의 옆에 있던 연구원들은 자부심 가득한 표정이었다.

"하지만 이 약이 천사의 눈물보다 뛰어나다고 하기에는 부족하다네. 재생력은 뛰어나지만 상처의 정도에 따라 상태 이상에 빠지게 된다네. 지금 돼지는 상태 이상에 빠져 움직이지 않고 있는 것이 보이는가? 아까의 상처 정도면 일주일 동안 꼼짝하지 못하고 쓰러져 있어야 움직일 수 있을 걸세."

"그래도 그게 어딥니까. 전투 중에는 사용하지 못해도 전투가 끝난 후 몸을 회복할 수 있는 약이 있다면 여분의 목숨을 가진 것과 다름없지 않습니까. 약의 이름을 지으셨습니까?"

"공식적이지는 않지만, 우리끼리 '눈먼 사신'이라고 지었다네."

"눈먼 사신요? 왜 그런 이름을 지으셨나요?"

"사신의 눈을 속여 죽음을 피한다는 뜻으로 지은 이름이네. 가르신 왕국이 먼저 천사를 이름으로 사용했으니 우리가 따라 할 수는 없지 않은가."

눈먼 사신, 나쁘지 않은 이름이었다.

"그러면 눈먼 사신으로 약의 이름을 정하고 최종 실험을 진행해 주세요. 실험이 성공적으로 끝나면 바로 판매를 시작하도록 하겠습니다."

마지막 실험은 사람을 대상으로 하는 임상 실험이었다.

멀쩡한 사람의 살을 찢어 약의 효능을 시험할 수는 없었기에 부상자를 찾아 동의를 얻어 실험을 해야만 했다.

심한 부상을 입은 사람을 찾아 실험을 하는 것에 오랜 시간이 걸릴 거라고 생각했었지만 3일 만에 대상자를 찾을 수 있었다.

왕궁 공사를 하던 인부 한 명이 바위에 깔려 사지가 부러졌는데 그를 대상으로 눈먼 사신을 실험했고, 결과는 성공적이었다.

물건을 고가에 팔기 위해서는 일단 홍보를 해야 했다.

그리고 우리에게는 경매장이라는 최적의 홍보 장소가 있다.

이 세계의 모든 국가들의 상단이 찾는 브루니스 경매장이었고, 눈먼 사신은 하루 사이에 천사의 눈물과 버금가는 명약이 되었다.

공급이 많으면 물건의 가격은 떨어진다.

눈먼 사신은 천사의 눈물을 견제하기 위해 만든 약이 아니다.

나는 가르신 왕국과의 공존을 원하는 것이지, 그들이 망하는 것을 원하지 않았다.

그래서 우리는 천사의 눈물이 지금의 가격을 유지할 수 있을 정도의 약만을 판매했다.

이렇게 되기까지 4개월이 걸렸다.

4개월 동안 오로지 내 금고 속에 있는 돈을 이용해 브루니스 연구소를 운영했지만 이제는 어느 정도 자생이 가능한 구조가 되었다.

하지만 문제는 있었다.

브루니스 왕국은 국가 차원에서 악마의 탑을 봉인했고, 들어갈 수 있는 인원은 우리 팀을 제외하면 몇 팀 되지 않았다.

연구소에서 활발히 연구를 하기 위해서는 악마의 탑에서 나오는 몬스터의 사체나 다른 부산물들이 필요했지만 공급이 원활하지 않았다.

그 고민을 카인트 공작과 상담했고, 매우 간단히 해답을 찾을 수 있었다.

"그런 걱정을 하고 있었나? 답이 간단한 고민을 하고 있었군. 자네는 기사들의 능력을 과소평가하고 있군. 물론 오러를 사용할 수 없어 이전보다는 못하지만 그래도 기사들일세. 하루도 빠지지 않고 육체 단련을 하고, 실전과 같은 수련으로 언제든지 적의 목을 찌를 검이 되어 있는 사람들이 북부의 기사들일세. 그리고 왕궁 기사단의 능력도 그에 뒤지지 않지. 브로안이나 자네처럼 특별한 능력이 없기에 걱정을 하는 것을 알겠지만 다른 국가들을 보게나. 그들은 자네들처럼 특별한 능력을 가지고 있지 않고서도 악마의 탑 3층까지 공략했다네. 우리 기사들이 그들에게 뒤처진다고는 한 번도 생각하지 않았네."

내가 강해진 만큼 내 기준이 너무 높아졌다는 것을 카인트 공작의 말을 듣고 깨달았다.

하긴 다른 국가의 기사들이 특별한 능력을 가지고 있지는 않으니까.

결국 아이템 등급의 차이였다.

등급이 높은 아이템을 착용하고만 있다면 충분히 기사들만으로도 악마의 탑 저층은 공략할 수 있었다. 그리고 기사들도 그것을 원할 것이다.

전쟁이 일어나지 않는 이상 기사들은 자신의 실력을 확인할 방법이 없을 것이고, 안주하여 결국은 녹슬고 말 것이었다.

“그러면 카인트 공작님께서 기사들을 선발해 주시기 바랍니다. 제가 아이템을 지원하겠습니다.”

“알겠네.”

카인트 공작의 얼굴에 생기가 돌았다.

악마의 탑에서 도망쳐 나온 이후 무기력한 모습으로 수련만 하던 카인트 공작이었지만 후학을 양성한다는 생각에 활력을 되찾은 것이다.

악마의 탑을 카인트 공작만큼 잘 아는 기사는 없다.

그라면 악마의 탑을 공략하기에 적합한 기사들을 선발할 수 있을 것이었다.

* * *

왕실 연병장.

왕실 기사들과 이제는 왕실이 더 익숙해진 북부의 기사단이 연병장에 모였다.

기사들은 카인트 공작의 집합 명령에 긴장된 마음으로 그를 기다렸다.

카인트 공작이 아무리 오러를 사용하지 못한다고 하지만 그는 여전히 왕국 제일의 기사였다.

그리고 드디어 카인트 공작이 모습을 드러냈다.

“오늘은 중대 발표가 있다. 다들 얼마나 열심히 수련했는지 내가 알고 있다. 수련의 성과를 확인하고 싶고, 능력을 발휘하고 싶다는 것도 잘 알고 있다. 그래서 내가 오늘 자네들에게 기회를 주려고 한다. 악마의 탑에 들어가 몬스터를 사냥하고 싶지 않나? 선택받은 소수에게만 주어진 기회를 자네들이 쥐고 싶지 않은가?"

카인트 공작을 비롯한 4명만이 악마의 탑에 입장하는 모습을 보고 기사들은 어떤 생각을 하고 있었을까?

위험한 곳에 자신이 가지 않아도 된다는 생각에 안도를 할까, 아니면 자신도 악마의 탑에 들어가 몬스터를 사냥하는 영광을 얻고 싶어 할까?

대부분의 기사는 후자의 생각을 하고 있었다. 그랬기에 카인트 공작의 말이 끝나자 환호성이 터져 나왔다.

우오오오!

자신의 능력을 발휘하고 싶다는 생각에 벌써부터 뜨거워지는 몸을 달래는 기사들에게 카인트 공작은 불을 붙였다.

"이번에 선발된 기사들에게는 진 자작이 직접 아이템을 지급해 줄 것이다. 다른 국가의 상인들과 귀족들이 거액의 돈을 들여 구입하고 싶어 하는 그런 아이템을 가지게 되는 것이다."

기사들은 돈에 대한 욕심이 다른 사람들보다 적었다.

특히 30이 넘지 않은 기사들은 더욱 그랬다. 돈에 욕심을 내는 것은 기사의 덕목에 위배되는 것이라고 생각했다.

하지만 기사들이 욕심이 없는 것은 아니었다.

특히 무기.

육체의 수련을 끊임없이 하는 이유는 강해지기 위해서였다.

그리고 무기는 단기간에 힘을 상승시켜 줄 수 있는 유일한 방법이었다.

"선발 방식은 간단하다. 딱 두 가지의 유형으로 선발한다. 몸이 가볍고 공격에 특화되어 있는 기사와 우직하고 방어에 특화되어 있는 기사. 악마의 탑을 공략하기 위해서는 상호 간의 역할 분담이 중요하다. 공격력이 뛰어난 기사만 있다고 해서 악마의 탑을 공략할 수 있는 것이 아니다."

카인트 공작은 연병장 중앙으로 걸어 나가 외쳤다.

"자신이 공격에 특화되어 있다고 생각하는 사람은 왼편으로, 그리고 방어에 자신 있는 기사들은 오른편으로 줄을 서라."

제식 훈련을 주기적으로 받는 기사들이었지만 지금만큼은 질서를 생각하지 않고 우르르 이동했다.

그래도 앞자리를 서로 차지하려고 싸우지는 않았다.

대신 연차가 높은 기사들이 앞자리를 차지하긴 했다.

"공격은 아드몬드 기사단장이 선발을 담당하고, 방어는 브로안 수제자가 담당을 한다."

아드몬드의 경우에는 기사단장이라는 직책이 있었기에 시험관으로서의 자격이 충분했지만 브로안은 아무런 직책도 없었기에 이번에 수제자라는 의미 없는 직책을 부여했다.

브로안은 예전보다는 나아졌지만 여전히 기사들에게 자격지심과 비슷한 감정을 가지고 있었다.

꿈에서도 기사가 되고 싶어 했던 브로안이었기에 하루아침에 그런 감정을 지울 수는 없었다.

하지만 지금 자신이 기사들을 평가하고 선발하는 시험관이 되었다는 것에 기쁨을 감출 수가 없어서 매우 열정적으로 기사들을 평가했다.

"방어에 특화되어 있는 사람을 자작님이 탱커라고 불렀습니다. 무슨 의미인지는 잘 모르겠지만 어쨌든 탱커는 팀원의 안전을 담당하는 가장 중요한 역할입니다. 몬스터들의 어그로를 높여서 공격을 하는 딜러들이 안정적으로 몬스터를 공격할 수 있게 시선을 끌어야 합니다. 그래서 탱커는 방어력과 체력이 중요합니다."

브로안은 이번 시험을 위해 많은 수의 방패를 주문했고, 그 방패들을 자신의 앞에 있는 기사들에게 나누어 주었다.

"간단합니다. 서로 방패를 밀쳐 오래 견디는 사람을 선발하겠습니다. 한 번에 강한 힘을 주어 상대를 쓰러뜨리면 처음부터 다시 시작해야 되니, 서로의 힘에 맞는 상대와 팀을 이루는 게 좋을 겁니다."

일반적으로 사용되는 방패와는 달랐다.

무려 100kg이 넘는 방패를 들고 서 있는 것만으로도 고역인데 방패를 내질러 방패 밀쳐내기 기술을 펼치기도 해야 했다.

방어에 특화되어 있다고 자신하는 기사들이었기에 이들은 모두 긴장했다.

다들 브로안보다는 작았지만 일반 사람에 비해 머리 하나 정도는 더 컸고, 역삼각형 몸을 하고 있었다.

"그럼 시작하겠습니다. 모두 방패를 들어 올려주세요."

묵직한 방패를 들어 올리는 것은 모두 성공했다. 하지만 방패 밀쳐내기를 몇 번 하자 방패의 무게가 뼛속까지 전해지는지 힘겨워하는 것이 눈에 띄었다.

그러나 기사들은 자존심과 영광을 위해 방패를 놓지 않고 악으로 방패를 밀쳐냈다.

『스킬스』 4권에 계속…